Todos somos Kafka

Nuria
AMAT

Todos somos Kafka

Nueva edición
Prólogo de Carlos Fuentes

Reverso

Escrituras

Publicado por Reverso Ediciones SL
Calle de Hurtado 12, ático
08023 – Barcelona

Reservados los derechos de edición en lengua castellana para España
y América Latina.

Primera edición en Reverso Ediciones: septiembre de 2004
Publicado originalmente por Anaya & Mario Muchnik en 1993

© Nuria Amat, 1993
© del prólogo: Carlos Fuentes, 2004

Cubierta: Julio Ponzoa
Diseño editorial: Ferran Cartes / Montse Plass

Compuesto en Fotocomposición 2000
Impreso en Hurope SL

ISBN: 84-933921-1-1
Depósito legal: B. 33.196- 2004
Impreso en España – Printed in Spain

Prólogo

E N 1945, solía pasar breves temporadas en la entonces bella y florida ciudad de Cuernavaca, a una
hora por carretera de la Ciudad de México, con mi
viejo amigo y mentor don Alfonso Reyes. He des-
crito al gran escritor (el mejor prosista de la lengua espa-
ñola en nuestro tiempo, según Jorge Luis Borges) como
un hacendoso gnomo que escribía todas las madrugadas
de 5 a 7 y luego tenía tiempo de sobra para charlar, leer,
recordar, deleitarse al paso de las mujeres... Que es precisamente lo que hacíamos los dos —él de 55 años, yo apenas de 16— sentados todas las tardes en el café del Hotel
Maryk, hoy desaparecido pero, en aquel entonces, un al-
bergue hermoso de aspecto provenzal, con café frente a la,
entonces también, plaza de laureles y con otro bello jardín interior, rodeado de habitaciones, a espaldas nuestras.

En una ocasión, sentados en el café frente a la plaza,
ocupó la mesa vecina un hombre fornido, barbado, de
ojos inquisitivos y tez encendida que empezó a pedir, en
castellano pero con acento inglés, un mezcal tras otro.
Asombrados, Reyes y yo perdimos la cuenta de las copas
del implacable licor del maguey, la *century plant* en inglés. Nombre *−century−* que comenzó a invocar, litúrgica-

7

mente, nuestro bebedor vecino, antes de brindarle al sol y recitar:

> Hell hath no limits, nor is circumscribed
> In one self place, for where we are is hell,
> And where hell is, must we ever be.

El recitante y bebedor le brindó al jardín, murmuró en castellano acentuado, «Cuide este jardín… no deje que sus hijos lo destruyan», dudó entre pagar e irse, dejó un billete azul y se marchó con paso incierto.

—¿Qué cosa recitó? —le pregunté a Reyes.

—Marlowe. El *Dr. Fausto*, me parece.

—¿Quién sería?

Reyes se encogió de hombros y me invitó a ver un programa triple de películas de vaqueros en el vecino Cine Ocampo. Manifesté mi escaso interés.

—Te equivocas —me dijo don Alfonso—. El *western* es la épica contemporánea. Homero está ahora en el cine del *Far West*.

Con tan ingentes razones, me soplé las cuatro horas de cowboys-Aquiles mientras Reyes encontraba situaciones universales y resonancias griegas en cada cabalgata que pasaba por Monument Valley, Arizona.

Pero, ¿quién era el bebedor que recitaba a Marlowe en Cuernavaca? Pocos días después leí en la prensa de la Ciudad de México que un escritor inglés había sido expulsado de México por culpas —«mala conducta, borrachera»— cometidas en 1938. La borrosa foto de un hombre en los jardines Borda de Cuernavaca podría o no ser la de nuestro compañero de café. Pero años más tarde, cuando por fin leí *Bajo el volcán*, no pude olvidar esa secuencia biográfica que ya no era, en la novela, la de la hora vivida con Alfonso Reyes en 1945. Cuernavaca ya no era Cuernavaca. Había revertido, en la novela, a su nombre indígena, Cuauhnáhuac, «El lugar junto a los árboles». La Calle Humboldt era ahora la Calle Nicaragua. Pero la cantina El Farolito seguía allí, con el mismo nombre. Aunque Geoffrey Firmin era ahora Malcolm Lowry. O Malcolm Lowry, Geoffrey Firmin.

Si evoco esta experiencia es porque el magnífico libro de Nuria Amat me la suscitó, junto con mil más que no terminaría de recordar en este breve prólogo. Pero ese lejano incidente en Cuernavaca/Cuauhnáhuac volvió a introducirme en la magia perenne de la literatura, que consiste en duplicar al mundo, basándose en la «realidad» (Cuernavaca, Lowry, El Farolito) para crear una realidad paralela (Cuauhnáuhac, Firmin, El Farolito) sin la cual, desde ahora, la primera realidad no sería comprensible. No hay Elsinore sin Hamlet. No hay La Mancha sin Quijote.

Y no habría mañana turbia en Praga sin Gregor Samsa y Franz Kafka, ni 16 de junio de 1904 en Dublín sin Leopold Bloom y James Joyce. O sea, las fronteras entre lo vivido y lo escrito son el tema de *Todos somos Kafka*, pero como el título indica, entre lo vivido y lo escrito hay muchísimas puertas, aduanas, puestos de frontera, límites físicos y oníricos. En el habla cotidiana, los llamamos libros y bibliotecas: puertas. Por ellas entran y salen autores y personajes. Pero ni los espacios se reducen a lugares ocupados por cosas ni los autores y sus personajes se corresponden de una manera convencional o, inclusive, lógica.

A menos que, conducidos por Nuria Amat, le demos a

la lógica –razonamiento válido, inductivo o deductivo–
otra dimensión: la imaginativa, que es la manera de razo-
nar en literatura; la imaginación, que es el nombre del
conocimiento en literatura, la dimensión poética de las cosas, equivalente a las ligas entre todos los aspectos de lo
real. La lógica, por necesidad (lógicamente), es unívoca.
La poética, por naturaleza, es plurívoca. La lógica no to-
lera más de una verdad. La Mancha es una provincia del
centro de España. La poética demanda múltiples verdades. La Mancha es una provincia de la imaginación. La geo-
grafía circunscribe, como el infierno de Marlowe. La imaginación dilata, como en los espacios aquí evocados por
Nuria Amat, sólo para fundirse unos en otros creando un
gran espacio de la imaginación activa. La Praga de Kafka
se funde en el Dublín de Joyce que es La Mancha de Cervantes que es la Biblioteca de Babel de Borges.

Cuanto llevo dicho tendría su propia lógica, que es la
de la tradición generando creación y de la creación here-
dando tradición. Sólo que, con sutileza y una pizca de
maldad, Nuria Amat añade a la relación autor-lector,
biblioteca-libro, escritura-lectura, una acompañante, un fantasma femenino que interrumpe, a veces diabólicamente,
las secuencias tanto lógicas como imaginarias, plantándo-
se en el centro de la página (que tiene forma de cama, nos
recuerda Nuria) para enredar, complicar, sublimar, asesi-
nar, gestar de nuevo, bautizar y despojar de nombre, em-
peñar y engañar, preñar y castrar, a cada línea escrita por
cada autor que haya existido para cada lector que haya, a
su vez, existido pero que, sobre todo, existe o existirá.

Pero el libro se inicia cada vez que el lector lo abre y
lee. El primer lector del *Quijote* es el siguiente lector del
Quijote. Nuria Amat no acepta que las cosas sean tan

agradables y sencillas como esta secuencia. Entre libro y lector, entre autor y biblioteca, ella interpone una figura, en el sentido prístino que le daba Hölderlin —parte de un diseño que desconocemos, que se está formando en silencio y a oscuras: tela de Penélope, narración de Cherezada.

Esa *figura* es la *mujer* de la narración, a veces personaje de la obra, a veces mujer o hija o amante del autor, siempre la *otra* narradora invisible que nos dice ese *algo más* que a simple vista no está en lo que leemos. Que el escritor es siempre muchos escritores. Que a un escritor lo hacen muchos escritores. Que el escritor que deja de escribir no tiene más recurso que convertirse él mismo en libro. Que la aspiración grande y real del escritor es convertir al lector en enemigo. Que el escritor propone alianzas con los lectores, pero no complicidades. Que los escritores son bibliómanos que de otra manera no se harían con un libro. Que las cartas contagian: quien pasa su vida leyendo cartas se convierte en carta. Y el que se la pasa leyendo libros, se convierte en libro.

¿Qué tiene todo esto que ver con Kafka? Precisamente: todo esto. Franz Kafka, en la mirada interpósita de Nuria Amat, que es la mirada perdida de Felice, de Milena, de Dora, las mujeres de Kafka, es un autor de testamentos. Lega. Hereda. Pero quiere quemar lo mismo que quiere heredar. ¿Quién salvó del fuego a Kafka? ¿Su legatario Max Brod, que estaba allí para hacer lo que hizo, a sabiendas, acaso, del propio Kafka? ¿Los muertos del cementerio de Praga, que necesitaban a un autor que los representase a todos? ¿Todos los seres aislados del mundo que en Kafka encontraron a su compañero? ¿Los fracasados que en Kafka ven el genio de la mediocridad? ¿Los artistas frustrados que terminan siendo escritores porque

11

Kafka les hace comprender que ser un escritor es «ser un artista permanentemente frustrado»? ¿Todos los que al leer a Kafka se van muriendo sin darse cuenta? ¿Todos los que como Kafka apuestan a la inmortalidad mediante petición de no dejar rastro de su mortalidad?

Sí, todo ello, pero sólo a condición de que Nuria Amat se convierta en la mujer literaria de Franz Kafka y le asegure al autor que ella se encargará de «enterrar para siempre todos los libros existentes y posibles» a fin de admitir que «su literatura nos convierte en desheredados de la literatura».

Entonces, todos seremos Kafka, el escritor indispensable del siglo XX, el escritor que lo dijo todo para nuestro tiempo y lo dejó todo por decir para todos los tiempos. Nuria Amat bendice en este libro a Franz Kafka y le regala dos inmortalidades: la del amor y la del silencio. ¿Era ese hombre del café de Cuernavaca Malcolm Lowry?

Carlos Fuentes
Londres, junio de 2004

Todos somos Kafka

Cuando habíamos recorrido ya aproximadamente la mitad del camino, casi sin decir palabra, ella me dijo de repente: ¿y Kafka es también un escritor? Sí, Kafka es también un escritor. Lástima, había dicho ella entonces, yo creía que eran todos invenciones tuyas.

Lástima.

THOMAS BERNHARD

La cita

CERRÉ el libro, encendí el televisor y vi su cara.
Entonces me dije:
Lectora, este hombre está destinado a convertirse
en tu protagonista.
Por el momento, lo único cierto de la historia era que el
desconocido acababa de sobrevivir a un intento de suicidio.

Lectora, lo has salvado.

Devolvía la vida a un hombre que sin mi ayuda se habría matado o estaría muerto para la vida que yo estaba a
punto de proporcionarle.

El poder de que disponemos para evitar suicidios o,
por el contrario, provocar otras tantas muertes mediante
el simple gesto de abrir y cerrar un libro es, sin duda, un
poder grandioso. Y así va a ocurrir con el aspirante a suicida, con éste en concreto y no con el resto de aspirantes
a suicidas que podían sucederlo. Los otros que he podido
ver no me conmovieron tanto, salvo aquellas niñas que
imaginaban ser suicidas o asesinas.

Las niñas no se suicidan o se suicidan tan poco que
apenas merecen ser puestas como ejemplo. Las niñas
aguantan lo indecible para suicidarse luego, una vez han

dejado de ser niñas. Siempre fueron más prácticas, siempre más locas que los niños.

Yo, sin ir más lejos, me moría por inventar la muerte. «¿Dónde está la niña?», preguntaban en casa una y otra vez. Y mi padre, mi madre o uno de mis hermanos, el que fuera, contestaba: «La niña está muriéndose». Trucos para morir conozco a miles. Por ejemplo, asfixiarse con la almohada una noche en que toda la familia se ha ido a un espectáculo. Y tú estás sola. Y eres muy voluntariosa, porque de otro modo te es imposible soportar la presión de la almohada sobre tu cabeza el tiempo suficiente. Se han de tener verdaderas ganas de morir. Sólo un niño es capaz de llevar a cabo con éxito este método. Nunca un adulto. Debo confesar que antes de morir me saltaba una parte del proceso silencioso y solitario de darse muerte, dejaba lo más importante, el acto de la muerte en sí, puesto que me resultaba mucho más heroico el siguiente paso. Aquél en que el cuerpo, ya sin vida y sin aliento, yace inerte entre la cama y el suelo y, a poder ser, en el centro del pasillo para que te vean.

Al hombre cuyo intento de suicidio había frustrado, acababa de inventarle una madre. Lectora, me dije, este hombre tiene el aspecto de tener como madre, una madre idéntica a la del escritor Jorge Luis Borges. Y, en verdad, Leonor Acevedo de Borges era la última madre de la tierra cuya vida podía corresponder a la vida desasistida de ese hombre, víctima más bien de la intolerancia y autoridad de un padre inexistente o ciego. Al principio, cuando lo vi medio postrado en la habitación del hospital psiquiátrico, torturado y manipulado como un preso, supuse que lo único que en aquel momento deseaba ese hombre era telefonear a su madre. Como, en definitiva, y de encontrarse en su mismo caso, habría hecho Jorge Luis Borges. Incluso escritores geniales como Jorge Luis Borges, a sus cincuenta y tantos años, mientras están cenando en compañía de una mujer, telefonean a sus madres para darles la noticia de su paradero y avisarles de que estarán en casa dentro de cinco minutos. Escritores geniales son hijos de padres autoritarios y castradores y, a veces, también escritores, y si sobreviven a sus intentos de suicidio continúan teniendo miedo a sus padres poderosos y castradores. Al escritor que acaba de sobrevivir a un intento de suicidio me dan ganas de zarandearlo y decirle que no se acoquine y le plante cara a su madre, como si aún estuviese a tiempo de cambiar su vida, porque a una lectora inútil se le ha metido en la cabeza salvar la vida del escritor cobarde.

Al desconocido que acababa de sobrevivir a un intento de suicidio le coloqué una madre equivocada. La suya, por suerte para él, estaba lejos de ser una mujer patriótica y dominante como la del maestro Borges. La madre del escritor suicida era una señora ya anciana y desde siempre sometida al padre del hombre. El padre del hombre que consigue sobrevivir al intento de suicidio era el importante de la historia. Acababa de descubrirlo.

Esperé un rato. No esperaba que apareciese el hombre. Ni aun en sueños quería tener una entrevista con este hombre. En realidad había dejado de pensar en el hombre que más tarde o más temprano se convertiría en el padre de la lectora. Y menos aún pensaba yo en el padre del escritor suicida. Esperaba lo siguiente, lo que vendría después o antes, incluso, de que el desconocido fuera en verdad el padre de la lectora. Esperaba el próximo pensamiento. Ya tienes el personaje suicida y una idea: la del hombre suicida encadenado a un padre y por culpa de ese autoritario padre encadenado todavía más a la literatura. Ahora, lectora, no te mueras. Porque a veces ocurre: te mueres en tu mejor momento. Cuando el escritor o la escritora están escribiendo su novela, entonces ocurre. No se sabe si por el miedo a morir en un momento clave de la historia o por el miedo a no poder terminarla, en uno u otro caso, acabas muriéndote. No daré la lista de escritores que han muerto en su mejor momento creativo. En la mayoría de los casos ningún lector tuvo la oportunidad de conocerlos. Se murieron en el peor momento. Seguramente, miedo a no saber cómo terminar la novela y, entonces, morirse. Los novelistas son, a fin de cuentas, unos suicidas. Y así fue cómo, para sorpresa mía, acababa de convertirme en una condenada superviviente de un continuo intento de suicidio. Estaba perdida.

Entonces recordé que yo también tenía mi jardín. Todas las poetas de hoy en día presumen de jardín. Sin jardín, parece, las poetas no pueden llegar a ser poetas. El jardín es el mundo en miniatura de la niña que de mayor quiere ser poeta, y hasta que llegue el momento se entretiene robando los sueños del matorral de rosas, haciendo chirriar la puerta de la verja o subiéndose al limonero para contar estrellas. Porque el jardín tiene, además, aquel símbolo tan esencial que es la verja. Las hay de todo tipo: de hierro, de madera, de aluminio...; pero todas dejan ver la vida que transcurre tras la verja.

De pequeña, he visto tantas cosas tras la verja...

He visto al hombre-ladrón que se encaramaba en lo alto y quedaba colgado de la punta de la lanza de la verja.

He visto al hombre-pobre pedir limosna a través de los barrotes de la verja.

He visto al hombre-pervertido enseñar su sexo como el hombre-pobre la mano, entre los barrotes de la verja.

He visto a mi perro lamer el sexo del hombre pervertido tras la verja. Y he visto a mi perro volverse loco por culpa de ese hombre-pervertido y de mi asco de ese perro lamiendo el sexo de ese hombre pervertido. Y he visto morir a mi perro tras la verja porque estaba loco a causa del hombre-pervertido de la verja y de mi asco definitivo por el perro.

Mi cara entre los barrotes miraba pasar el mundo tras la verja.

El jardinero era el dueño absoluto de la verja. Y veía al jardinero, con su saco de hojarasca a cuestas, detenerse ante los barrotes de la verja y observarla. Estudiaba la verja como poco antes había estudiado el limonero antes de la poda. Yo estaba subida al limonero. El jardinero miraba la verja. La joroba del jardinero se confundía con su saco de hojas secas. La boina negra calada hasta las orejas ocultaba su ojo tuerto. Subida al limonero, inventaba un verso. Decía así: «¡Cómo puedes ser tan feo, jardinero!». Y luego, para recompensarlo por la malignidad de mi verso, convertía al jardinero en el principal protagonista de un cuento. Tenía al hombre-pobre que pedía limosna tras la verja. Tenía al pervertido que mató a mi perro. Tenía al ladrón nocturno. No sé qué fue de ellos. Desaparecieron. El ladrón fue encarcelado. Pero ¿y el jardinero? A él lo descubrí primero. Las niñas poetas son unas descubridoras. Yo misma lo encontré colgado con mi cuerda de saltar al cuello de una de las lanzas de la verja. Los jardines son peligrosos. Ni siquiera sirven para las niñas gordas que podrán realizar o no su sueño de poetas.

Lectora, repasa las coincidencias. Cuando aparece el hombre que quiere suicidarse, terminas de pasar la última página del último libro que has leído y releído del escritor Kafka o sobre el escritor Kafka. Eso es señal de que algo va a ocurrir con el escritor desconocido y con Franz Kafka, el escritor conocido. Si ahora saliera a la calle habría cien probabilidades entre mil de encontrar a ese escritor llamado Kafka que ha estado a punto de sobrevivir a un intento de suicidio. Pero no es así como los lectores deben obedecer a los buenos presagios. Perseguir al primer desconocido, se trate o no del escritor Kafka, y adjudicarle de buenas a primeras el papel de héroe es demasiado precipitado. Corres el peligro de, por ejemplo, casarte con él y entonces ya no poder contar esa historia que era tu mejor historia o de escribirla a partir de ese personaje que es ahora tu marido y escribirla mal. Escribirla de tal modo que tus familiares y conocidos reconozcan a la lectora y a su marido en cada frase del libro publicado y que su miopía no les permita leer el libro como tal libro sino como una crónica de la autora disfrazada de narradora.

Así que en lugar de salir a la calle me puse a pensar en el escritor sin textos publicados y que a su vez era el hombre que acababa de sobrevivir a un intento de suicidio. Y fue entonces cuando empecé a elucubrar sobre las dificultades de encontrar a este autor que, para mi desgracia, no estaba en las librerías, ya que una de las causas de su intento de suicidio fue que sus libros no estaban en las librerías y según él, ni siquiera merecían estarlo. Los escritores que siempre me interesaron no suelen estar colocados en los estantes de las más prestigiosas librerías ni tampoco en los de las menos prestigiosas. Las librerías, tanto las prestigiosas como las que no lo son tanto, hace tiempo que dejaron de tener libros de ninguna clase y sólo venden, cuando venden, unos objetos rectangulares con letra impresa que por desidia llaman libros. Ha sido tal vez en las mesas de saldo de las librerías de lance o en las librerías que han desistido de llamarse de ese modo en donde he encontrado a autores como Beckett, Monterroso, Lispector, que después, cuando ya han dejado de interesarme, han desbordado los estantes de las librerías ocupando el espacio de los autores interesantes y, por suerte para ellos, todavía ignorados. Es decir: no muertos.

Este escritor, que disfrutaba aún del privilegio de no haber sido nunca publicado, ¿había intentado poner fin a su vida porque su amante lo había abandonado, o bien porque había sido abandonado por la literatura? ¿Existirán todavía en el mundo autores capaces de matarse por amor a la literatura? ¿Existirán escritores mártires? Y de esta pregunta surgió otra, si cabe, más indecorosa: ¿Se suicidan aún hoy hombres y mujeres porque no encuentran editor que les publique o no exista editor que los encuentre?

Dispuesta ya la lectora a comenzar su relato titulado *El hombre que amaba la literatura*, suena el teléfono. Por un momento he pensado que tal vez fuera la voz del escritor desconocido que obedecía a mis poderes telepáticos. En lugar de ser Kafka, el escritor, es mi amiga, la escritora, que quiere preguntarme si, por casualidad, no he visto al escritor que ha estado a punto de tirarse al vacío. Mucho más astuta que yo para los detalles prácticos, ya sabe su nombre. Como mi amiga es más lectora cazaescritores que yo, que apenas soy una lectora, ya se ha propuesto un plan de ataque al escritor suicida. Lo abordará en un banco del hospital psiquiátrico. Se hará la loca. «Hola, Franz Kafka —dirá—, soy yo».

«¿Qué te parece, lectora?», tiene el atrevimiento de preguntarme. A un tris estoy de contestarle: «Yo lo vi primero». Mi amiga tiene en su haber tres maridos escritores, ¿para qué querrá otro? No sabe que éste es mi personaje. Su batalla está perdida. Me hago la sorda. El silencio es otra cualidad básica del lector auténtico. Silencio cuando alguien te pregunta qué escribes. Silencio cuando en caso de publicar un libro juegan al «quién es quién» con los personajes y se equivocan la mayoría de las veces.

La novela empezará con la historia de un hombre que acaba de sobrevivir a un intento de suicidio y sigue con la serie de digresiones que conducen a ese hombre a hacer lo que hizo y seguramente a insistir en ello. Y, entonces, hasta puede recibir una llamada de una lectora dispuesta a confirmarle su tarea de héroe en algún manuscrito ignoto.

Y el protagonista se da cita con la lectora. Es así como la lectora llega a conocer la historia del hombre que amaba la literatura.

Cuando se escribe sobre hombres que acaban de sobrevivir a un intento de suicidio hay que darse prisa. El protagonista puede reincidir y entonces la novela deja de ser novela para transformarse en un relato breve sobre el hombre que amaba la literatura.

De hecho, el hombre reincide en su intento. En el manicomio, cuando Kafka se ve asaltado por la loca que se dice escritora cazaescritores, trata de suicidarse nuevamente. La lectora casi se queda sin protagonista. Pero, al final, lo salva.

Es el momento, entonces, de solicitar una cita con Franz Kafka, el suicida desconocido que ha estado a punto de morir en un segundo intento de suicidio. La lectora consigue el teléfono del hospital psiquiátrico. Pide hablar con Franz Kafka, el escritor que ha aparecido en un documental televisivo. Y cuando ya está decidida a abandonar la idea pues la telefonista del hospital insiste en que aquí no hay Kafkas, ni nadie que responda a ese nombre, que se equivoca..., Franz Kafka se pone al auricular. La lectora lo saluda y juntos acuerdan una cita para la semana próxima.

¿Qué se hace con un muerto?

CUANDO llegué allí, Franz Kafka, el escritor, estaba tomando café en la mesa del restaurante. Lo acompañaban su mujer y un par o tres de hijos. Entré corriendo y, por lo que pude ver, impuntual a la cita. Suele sucederme. Son tantas las ganas que tengo de encontrar lo que me espera que, entonces, llego tarde. No fue esto exactamente lo que confié al señor Kafka mientras le pedía excusas. Por fin veía cumplirse uno de mis mayores deseos. Conversar con Kafka. Y, como si nos uniera una amistad de toda la vida, me senté a la mesa de la familia Kafka.

(Lectora –me dije entonces–, esto no hay quien se lo crea. No tanto mi cena con Franz Kafka, el escritor, como el hecho incierto y del todo milagroso de la existencia de una señora Kafka y de dos o tres hijos nacidos del matrimonio. Pero eso era lo que yo veía).

La noche en que tuve la inmensa suerte de cenar con Kafka acababa de perder la última oportunidad de que publicaran mis poemas. Era el tiempo en que ya no existían editores en la tierra y yo lloraba desconsoladamente. Eso a Kafka le tenía sin cuidado. Nada más verlo me sentí reconfortada. Ya no publicaría mis poemas pero a lo mejor aún estaba a tiempo de tener una familia como la de Franz Kafka.

Cuando me encontré con él, aparentaba alrededor de los cincuenta años. Vestía traje negro y una especie de bombín, también oscuro, que le daba cierto aire detectivesco.

Kafka parece más un contable que el autor de *La metamorfosis*, pensé para mí.

Luego pensé que Kafka habría podido ayudarme a publicar algunos de los poemas de mi serie *La evasión eterna*. ¡Qué editor se habría negado hoy a una pequeña sugerencia del maestro Kafka!

Si hay que saber aprovecharse de las buenas ocasiones, en mi caso sólo saco partido de las malas, pues cuando se me ocurrió esta idea ya era tarde y Kafka había desaparecido con toda su familia. Fue cuando me pregunté quién de los dos iba a morir primero, si Kafka o la señora Kafka. Y después pensé en algo peor: ¿qué dirían los hijos del escritor Kafka cuando leyeran, si no la habían leído ya, la *Carta al padre* de su padre? Los escritores no deberían tener hijos si lo que pretenden, como muchos escritores, es matar al padre y a la madre cada vez que se disponen a escribir un texto.

Lectora, imagínate por un momento que tú eres la hija de Franz Kafka y lees por primera y última vez la *Carta al padre* de tu padre y, por tanto, dirigida al abuelo Kafka.

Como no podrías renegar de tu padre, de un padre que escribe a su padre la ejemplar carta de un hijo a un autoritario padre, la única alternativa que te queda como hija, si quieres salvarte de la opresión del escritor Kafka, es la de subrayar en rojo todo el libro y dejarlo tal cual en su mesilla de noche. Cambiar apenas la firma. Donde figura: «tu hijo Franz», borrar y añadir: «tu hija que te quiere». Y punto. Otra solución más contemporánea sería copiar por entero la carta al padre y que sea ésta tu versión original y propia de tu carta al padre. Todos los hijos de padres escritores copian algunos de los párrafos que éstos escribieron y así se olvidan rápidamente de ellos.

Los hijos escritores de padres que no lo son también copian libros de padres escritores y nadie se entera. La mayoría de padres literarios no han tenido hijos: Borges, Woolf, Bernhard, Flaubert, Beckett y hasta Kafka, si yo no lo hubiera visto con mis propios ojos mientras cenaba tranquilamente con su familia.

Los escritores, finalmente, terminan siendo padres de hijos también escritores como los padres lectores terminan siendo padres de hijos lectores y no lectores.

Franz Kafka y yo habríamos podido conversar sobre los pros y los contras de la paternidad de los escritores y la maternidad de las escritoras. Pero a estas alturas de la conversación, Franz Kafka, el escritor desconocido, había logrado convertirse en el padre literario de la lectora y de ese modo facilitaba a la lectora su productividad o falta de productividad literaria. (Como ya Kafka lo ha dicho todo, no vale la pena que escriba nada... Nadie después de Kafka... Kafka sí, Kafka no... etcétera). Lo difícil iba a ser conseguir dialogar con un hombre que acaba de salir del hospital psiquiátrico por un doble intento de suicidio frustrado, alguien a quien el azar o la necesidad ha convertido en Franz Kafka, padre de la lectora. Con los padres pocas son las veces que se consigue intercambiar palabra. De eso estamos convencidos los hijos escritores de padres escritores.

Es sólo por ese motivo que la lectora decide dar muerte a la señora Kafka.

Detrás de todo suicida fracasado existen un escritor fracasado y un asesino encubierto. Hay dos maneras de matar a la mujer. La más común, la del asesino típico, y la otra, la propia de escritores que matan para la vida eterna. La señora Kafka no habría aceptado las teorías sobre la educación de los hijos, en las que los hijos, según Kafka, hasta que tengan una edad en la que la conciencia adulta supere a la animal deben, estar lo más separados posible de los padres. Ella no era mujer para un hombre que amaba la literatura y prefirió morirse. Habría continuado siendo una pesada carga para Kafka, como ya lo era con los embarazos de sus hijos, situación que aprovechaba para afianzar su poder con el marido, como todas las mujeres embarazadas utilizan este poder con sus respectivos maridos para someterlos aun más de lo que es corriente entre mujeres y maridos. Mi madre era un obstáculo para el trabajo literario de Kafka, como a fin de cuentas todas las mujeres se convierten en estorbos necesarios, sea cual fuere la vocación artística del marido. Pero aun así, Kafka no ha cesado de pedir en matrimonio a toda mujer que antes de mi madre y después de mi madre le ha servido para protegerse de su ridículo terror al matrimonio. El hombre no se quiere casar y al final se casa para poder echar las culpas a su mujer del horror del matrimonio. El hombre hace propuestas de matrimonio para inmediatamente después despotricar contra el matrimonio, los hijos y todo lo que apeste a mujer, hijos y matrimonio.

La señora Kafka no quedaba bien en la foto y prefirió morirse. La imagen de una familia Kafka al completo a la hora de los postres en la mesa de un restaurante no concordaba con la del padre de familia Kafka. Sobraba una persona y la lectora debe descubrir por sí misma qué ha sucedido con ella. Un pasatiempo original para una niña incrédula ante cientos de explicaciones que no la satisfacen en absoluto. A una madre no se la quita uno de encima de un brochazo. Porque tener una madre muerta es un hecho ordinario. Pero ¡hacerla desaparecer sin dar explicaciones sobre el hecho! En realidad, cada vez son más frecuentes los casos de hijos sin madres o con madres distintas o con mujeres que les hacen de madres.

Nuestra casa es una casa triste. Para convertirla en una casa personal y propia le invento un misterio. Fundo el misterio de la madre desaparecida. Siempre he dicho que es una casa de enfermo. Con nuestras peleas, nuestros gritos, comentados por todo el vecindario («hay que ver cómo se pelean estos niños huérfanos», «toda Praga escucha cómo se pelean estos niños huérfanos»), podemos matar a Kafka y ganar de ese modo otro padre desaparecido. Opto por permanecer quieta y casi muerta en mi territorio. Allí aprendo la imposibilidad de compartir mi vida con nadie. A vivir con mis espíritus, con cientos de ellos. Me acostumbro a tomar nota de mis cosas y a sacar rápidas conclusiones. Soy una niña de la que dicen que nada se le escapa, aunque, de tan rabiosa y tímida, parezco tonta. Siempre que puedo, salgo de la habitación y espío a

Kafka. Mientras duerme, hurgo entre sus papeles, registro sus secretos. Espiar las carpetas y cajones de un escritor ayuda a convertirse antes en escritor. Como no duermo, alguien debe de estar en mi cama por mí soñando que yo duermo. Observo cómo Kafka escribe. Ver cómo un escritor escribe aumenta tu capacidad de escritor. Descubro, entonces, su importancia como escritor y su fracaso como hombre. Ambas cosas deben ser complementarias, el significado de escribir y el significado de pobre hombre.

Persigo libros que hablen de mi historia, del silencio de mis padres. Luego paso a los escritos de Franz Kafka. Recompongo iniciales para averiguar lo que falta de mi abuelo, lo que sobra de mi madre, lo que falta y sobra de todas aquellas personas que Kafka quiere y después no quiere, y nunca deja de querer del todo. Sus cartas me confunden. Ya no puedo concebir la vida sin la escritura de cartas. Para decir la verdad, uno debe escribir una carta. Para mentir mejor uno no cesa de escribir cartas. Para resumir las conversaciones con los espíritus que atormentan por las noches se debe escribir una carta. Para todo lo que yo pienso me encuentro en la obligación de escribir una carta. Para llegar a ser un escritor, Marcel Proust tuvo que escribir la primera carta a su madre y quejarse en ella de que no le había dado el beso de buenas noches y, luego, hacérsela llevar inmediatamente por la sirvienta Françoise desde su habitación al salón de convidados. Las cartas contagian. Quien pasa su infancia leyendo cartas termina por hacer de su vida una carta. En la correspondencia de Kafka, mujeres, que no conozco, le hablan de cosas que sólo podría decirle una mujer como la señora Kafka. ¿No se estará inventando esas cartas? Me han dicho de alguien que se escribe sus propias cartas para conseguir algún tipo de compañía, aunque se trate de una compañía imaginaria. Me han dicho de este alguien que está loco. ¿No consistirá ser escritor en estar loco?

Cuando menos, tengo un padre que escribe. Un padre por correspondencia. Un padre escritor debe ser más que un padre que no es escritor, en el caso de que se hayan conservado sus libros y su correspondencia para el conocimiento de sus hijos. Un padre escritor significa muchos padres a la vez y un desorden indescifrable de palabras. Una hija lectora será siempre la mejor lectora de un padre escritor, en el caso de que esa hija haya dedicado toda su infancia y después toda su adolescencia y el resto de su vida a leer en secreto a su padre escritor, a escondidas, sin que la vieran, que es la mejor manera de aprender de un escritor, y no digamos si el escritor es el propio padre.

Espiar a un padre escritor es más fácil de lo que parece. El escritor en cuestión duerme la tarde entera, se levanta para leer un poco antes de la cena y escribe de noche hasta que amanece. Los escritores no duermen. Cuando no escriben, leen, y cuando no leen, sueñan despiertos en sus miedos o se dedican a espiar a los otros, como yo entonces a mi padre. Lo veo leer, lo veo escribir, lo veo dormir y me veo a mí escritora. Veo que puede morir de un momento a otro, de tan delicado y frágil que dicen que es mi padre, y que alguien, que no puede ser otra que yo, debe ocupar su cama y su lectura. Me siento la heredera de mi literario padre. Su sucesora. Y espío su espalda y su cabeza inclinada sobre la hoja preparada para que cualquiera de nosotros pueda darle un susto y lo vea caer de golpe y morir de repente delante de mis ojos. ¿Qué se hace con un muerto? Esta pregunta me preocupa y me obsesiona todavía ahora; ahora que ya casi sé lo que se hace con un muerto. Estoy detrás de la puerta entreabierta de su estudio, lo espío por la rendija iluminada, ¿me descubrirá?, ¿no me descubrirá?, ¿quién está ahora tras la puerta indagando sus secretos?

Kafka prefiere ignorarme detrás de la puerta. Se hace el loco detrás de la puerta. Algo imposible para un escritor que sabe todo lo que ocurre a sus espaldas mientras permanece concentrado en su escritura. Escribe para la niña que está cada noche espiándolo por la rendija de la puerta. Escribe, seguramente, para la lectora secreta de sus malditas cartas. Una niña puede no ser nada cuando descubre a un escritor que escribe detrás de la puerta, pero la misma niña deja rastros de su paso en el orden neurótico de las cosas personales de un escritor adulto. Por mucho que se esfuerce en no dejar rastro de su paso, la niña descuida cosas. Por ejemplo: migas de pan. Por ejemplo: grasa. Cosas de esperar cuando la niña que espía lleva en la mano un mendrugo de pan con aceite. Los escritores escriben para las niñas que, mientras leen, se llevan a la boca y mastican esos deliciosos trozos de pan untados con aceite.

Los problemas de intendencia y mantenimiento de la casa con las cosas y las personas de la casa dificultan de manera extrema la vida cotidiana de Kafka cuando tiene que enfrentarse a su tiempo de escritura que, como sabemos, exige una total dedicación, una vida consagrada a su tiempo de escritura, aunque no escriba, aunque la mayoría de los lectores y los que no lo son crean que escribir en serio, escribir con la convicción total y absoluta de que uno está llamado a eso, es cosa de pasatiempo. Creen esas personas, de aquellas otras, que escriben porque no tienen nada más que hacer y aprovechan ese nada que hacer para ver su nombre colocado en letras de imprenta sobre la portada de un libro; como si un libro fuera algo importante. Así piensan contra los escritores los que no son escritores y querrían serlo por encima de todo, pero una falta de voluntad creadora y de honestidad creadora los hace ser escritores a medias, lectores a medias, a medias editores. Así leen como si fueran editores dedicados única y exclusivamente a rechazar cada manuscrito que llega a sus manos de lectores. Leen solamente para criticar lo que leen y al autor que leen y si se colocan un libro abierto frente a los ojos es para buscar sus enormes fallos, sus enormes lagunas, precisamente aquello que no está en el libro y que el lector a medias desearía que estuviera allí para creer de ese modo que éste sería el libro que él habría escrito. Así leen, para poder decir a sus amistades que el libro es malo porque no es para nada el libro que él, como editor a medias, habría publicado. Que el libro es malo porque hay una infinidad de adverbios terminados en *mente* y un escritor que se precie jamás debe abusar de los adverbios terminados en *mente*.

En los papeles de Kafka leo que no quiere tener hijos y a veces leo que sí quiere tener hijos y yo lo comprendo, de antemano siempre comprendo a mi padre aunque no sepa con seguridad si comprender al hombre que quiere tener hijos o a aquel mismo hombre que no desea tenerlos. Comprendo que sobre un papel uno puede escribir cualquier cosa. Sobre el papel se puede mentir indefinidamente. Y a veces leo que ha decidido no escribir una frase más porque ni una sola palabra salida de su pluma merece la pena ser leída, y otras tantas veces leo y releo que la escritura es la única cosa por la cual merece la pena vivir o morir, pues una cosa es idéntica a la otra. La escritura debe ser una especie de premio-castigo a la vez, no un castigo y luego un premio por haber cumplido bien el castigo, sino una cosa que participa de los dos estados al mismo tiempo. La escritura es lo esencial y todo lo demás —abuelo, hijos y el resto de obligaciones familiares— fastidia al escritor Kafka. Lo molesto yo cuando, después de dudar un rato, dejo asomar mi cabeza a través de la puerta de su cuarto para decirle algo que casi siempre es importante pues ni se me ocurre entrar allí si no es para decirle cosas importantes o vitales. Su modo de enfurecerse es el peor de los modos para agredir a una persona pues nada hay más doloroso para las personas con las cuales se vive una cierta intimidad y un cierto cariño que hacerles notar lo indiferente que resulta para uno esa cierta intimidad y ese cierto cariño.

Los escritores puros desfiguran la realidad a su conveniencia, cuando no dicen todo lo contrario de lo que han vivido para despistar y burlar a esos lectores indiscretos que esperan ver en un texto la biografía del autor y, si no, se la inventan y les hacen vivir cosas que no han vivido y sentir sentimientos que nunca tuvieron, como si fueran auténticos narradores. Así mi madre y su muerte literaria.

Es la lectora y la hija de Franz Kafka quien tiene que escribir sobre la vida y la ausencia de la esposa Kafka. Eso es lo que un padre escritor obtiene de sus hijos escritores cuando no les habla y tampoco les menciona a su madre muerta. Los condiciona de por vida a escribir sobre esa madre muerta, desconocida, y a que sus escritos no hablen de otra cosa que no sea el secreto de su padre, asesino de la madre muerta. Para ser escritora, puesto que desde entonces la lectora no concibe otra cosa en la vida que ser escritora, un padre como Kafka no me sirve. Un padre sin esposa ha de esconder un secreto. Cuando hay secreto, alguna locura se oculta. La locura de mi madre es lo que el silencio de Kafka me obliga a creer durante las infinitas noches de espía. Sus fotografías están esparcidas por toda la casa. En cada lugar estratégico de la casa mi padre ha colocado un retrato de mamá-fantasma. Y cada retrato de mamá-fantasma exhibe expresiones distintas de mamá-fantasma, lo que me hace suponer, como ocurre con las cartas, la existencia de cientos de mamás-fantasma.

La señora Kafka debe de haber hecho cosas terribles que no pueden explicarse. Y esas cosas terribles son las que Kafka tiene que escribir cada tarde porque no existe otro motivo para que, sin faltar un día, se dedique a escribir la noche entera. No hay otro motivo de escritura que el de contar todo lo extraordinaria que había sido la vida de mi madre y de las esposas de todos los escritores que, todavía jóvenes, perdieron a sus esposas y se convirtieron, a partir de entonces, en grandes y malditos escritores. Aprendo a leer convencida de que con la lectura resolveré el gran enigma, y cuando aprendí a leer ya estaba segura de que en mi vida no haría otra cosa que leer y leer durante todo el día y que me tomaría la lectura como un medio de supervivencia y que no cesaría de leer hasta encontrar en la lectura la historia de la madre desaparecida y la historia de la hija que busca a su madre ausente.

Pero no la encuentra. En las cartas de Kafka aparecen nombres de mujer (Felice Bauer, Julie Wohryzek, Milena Jesenska, Dora Diamant, Grete Bloch...) que yo quiero confundir con el nombre de mi madre y daría cualquier cosa para engañarme y quedar satisfecha con la carta de una extraña en la que con muchísimo gusto reconocería la letra de mi madre. Supongo que mi madre vive encerrada en algún lugar oculto de la casa, en algún agujero inaccesible a los niños. De ahí mi afición al correteo nocturno. Unas veces dormida, otras despierta, acostumbro hacer el mismo recorrido cada noche. Subo al desván donde encontraré una de esas puertas falsas que me permitirán dar con ella y destapar la historia. Me he convertido en una experta en palpar todas las paredes de la casa para dar con la clave que haga ceder la pared misteriosa. Los ruidos con los que cruje la madera del desván delatan, sin ninguna duda, la presencia de una persona loca. Mi madre. No hay duda. La señora Kafka.

La lectora ha leído demasiado. Está a punto de convertir al padre escritor en un ser perverso que encierra a la niña en el desván junto a la loca de tal modo que la niña ya no sabe si es ella la hija o la madre loca y, finalmente, como es de prever, termina volviéndose loca de verdad por culpa del padre escritor que ha llevado su imaginación demasiado lejos. Sin embargo, la personalidad de Franz Kafka no concuerda en absoluto con el prototipo de hombre cruel y trastornado que parece disfrutar con el delirio de su hija. Más probable parece que mientras el padre está en su habitación leyendo y escribiendo, la hija suba y baje del desván y divague sobre historias de locas y desaparecidos. Más probable parece que sea la hija, la lectora, la única trastornada y loca.

Las biografías queman

E L DESVÁN es también el refugio donde jugamos a ser escritores y nos creemos de verdad escritores por el mero hecho de aguantar allí horas y horas en postura de escritor, respetándonos mutuamente el silencio necesario para dar forma a la escritura. En el desván hay manuscritos inservibles de Kafka, ropa vieja y libros malos o repetidos. Es Franz Kafka hombre de poco equipaje y esos trastos de allá arriba parecen estar siempre a la espera de un fin definitivo que no se atreve a darles.

Antes de proseguir con la lista de objetos personales de Kafka, la lectora teme confundirse; confundir, por ejemplo, al personaje Franz Kafka, escritor, padre de la lectora, con el que fuera en verdad padre de la lectora en el caso de que la lectora no fuera un personaje y tuviera tras de sí un padre que ahora mismo estaría apenado al leer todo cuanto su hija lectora es capaz de inventar y escribir sobre el afligido padre. En este momento, la lectora se merecería un hijo escritor que escribiera una de esas biografías falsas sobre una tal Jane Austen, madre escritora del improvisado narrador. Una de esas antibiografías que disfrazan literariamente lo que la gran literatura ha venido haciendo desde que empezó a existir la gran literatura. Uno de esos libros en los que sus narradores, por falta de personajes imaginarios o reales, convierten en protagonistas de sus novelas a diferentes artistas que en el mundo fueron como músicos, científicos o, finalmente, escritores porque permiten al narrador decir más cosas de su vida personal sin que se note.

Y el narrador-narrador, desde siempre, por mucho que los lectores fatuos insistan en negarlo, no ha hecho otra cosa que introducir elementos autobiográficos en sus novelas. Los críticos anticuados se llevan las manos a la cabeza. Y los escritores miedosos zozobran. Los más valientes inventan heterónimos, alter egos... Según Dostoievski, por ejemplo, no existe método más idóneo para matar al padre que la novela tradicional. Para Camilo José Cela, sin embargo, no hay necesidad alguna de matar al padre. «¿Y dónde está el padre?», se pregunta la lectora. Cuando un narrador no tiene más padre que otro narrador la única alternativa que le queda para superar la existencia del desdichado padre es convertirlo en el héroe de la tal novela que no será nunca del todo una novela. La misma lectora, cuando se pone a investigar sobre su pasado, sólo alcanza a recordar anécdotas literarias. Y con estos datos es como empieza y termina su biografía. Cuando la lectora recuerda, le vienen a la mente esas vivencias literarias. Y la lectora, para convertirlas en literatura, no tiene más remedio que disfrazarlas de anécdotas personales. Investigando en los intersticios de la intimidad de un autor es tal vez como el narrador descubre el modo en que el autor escribe una novela, tal vez encuentra a su verdadero padre, tal vez se desencuentre a sí mismo tratando de escribir novelas. Aunque tampoco es tan importante ser autor de novelas cuando los autores han perdido su categoría de autores y su método y objetivo de trabajo se asemeja al de un presentador de espacios televisivos. En el momento en que ya no existen destinos literarios (ofrezco mi vida a la escritura, escribir o morir, si no escribo no respiro, etcétera) es, gracias a esas muestras de familiaridad con los grandes autores, como la lectora tiene la impresión de cumplir mejor con su destino literario.

Pero volviendo a la identidad de Kafka. De ser cierto lo que cuentan sus biógrafos, Franz Kafka siente estima por muy pocas cosas: un montón de libros de sus autores favoritos, el relieve en yeso que representa una bacante sin cabeza sosteniendo un trozo de carne, y, aunque se dé por hecho y no haga falta publicarlo, Kafka, más que ningún otro escritor, siente un gran aprecio por el papel y la tinta suficiente para escribir el resto de sus días. Muy propio de Kafka, o de personas como Kafka, es creer que el hecho de poseer objetos lleva consigo una pérdida de tiempo inconmensurable dedicado a ocuparse de ellos. Hay escritores, sin embargo, que sin la comodidad que proporciona disponer de cierto material (tabaco, música, fax, ordenador, teléfono...) no son capaces de ir más allá de la primera línea. Con esa manía suya de estar siempre preparado para la última despedida, Kafka dice y repite que en caso de que sucediera la catástrofe y tuviera que huir de su ciudad, de su casa y su familia, lo único que llevaría consigo sería la bacante de yeso y los escasos libros que ya tiene preparados para tal evento. Los títulos a los que me refiero se distinguen fácilmente. Kafka es hombre sobrio, pero organizado. Los libros programados para acompañarlo en la aventura de la isla desierta se diferencian del resto de los volúmenes por el punto dorado que

Kafka ha engomado en el lomo de sus cubiertas. Y según refieren los biógrafos de Kafka son los siguientes: dos o tres libros de su admirado Flaubert (en especial, su correspondencia), una selección de las obras de Goethe encuadernadas en rojo, el *Tonio Kröger* de Thomas Mann, los diarios de Grillparzer, algún Balzac, algún Hesse, todo Robert Walser, los poemas de Kleist, el libro dorado de poesía china y la inseparable Biblia.

Ahora podía ofrecer a Kafka la oportunidad de salvar del desastre sus cuatro cosas tan queridas a la vez que pensaba deshacerme para siempre de la loca y de los escondites invisibles en los que vivía la loca. Ahora conseguiría que desapareciera para siempre, pensaba la lectora, el espanto de la loca y mi particular espanto de estar dividida entre una madre loca y una hija que se cree loca o una hija loca y una madre desesperada.

Las hijas predilectas de grandes escritores, váyase a saber por qué razón, son locas o terminan siendo locas. Existe la tesis de quienes creen que escritores revolucionarios han sido revolucionarios porque supieron aprovecharse de la sabiduría literaria de sus hijas locas. Estos escritores, que producen obras fuera de lo común, también procrean hijas fuera de lo común, como Lucía Joyce que, muerto su padre, prendió fuego al psiquiátrico en donde estaba encerrada. Escritores revolucionarios procrean hijas pirómanas y locas.

La hija de Kafka debía permanecer a la altura de las circunstancias. Así que puse manos a la obra. Demasiados libros. Demasiada lectura de *Rebeca*, *Jane Eyre* y Jane Austen, por mi parte. En un santiamén transformé en llamas la vieja maleta en la cual Kafka conservaba sus viejos e inservibles manuscritos, sus libros repudiados, mis libros, nuestros libros, nuestros simulacros de manuscritos, la casa de la loca, el espacio invisible donde noche tras noche me martirizaban la loca y el desván entero.

Todo arde colosalmente. El fuego prende como nunca imaginé que sería capaz de quemar el fuego. Las llamas atraviesan el tejado del edificio. Kafka mantiene la calma que lo caracteriza. Consigue, sin embargo, salir inmune de la casa. Los niños han salido antes. ¡Cuándo alguien pudo ver que Kafka se impacientara! Incluso se diría de él un padre feliz al verlo ensimismado frente al fuego que poco a poco va devorando la casa y sus secretos. En vano espero que Kafka, como el esposo de Rebeca, se abra paso entre las llamas para salvar a la mujer encerrada en el desván y espero, tal vez, que, debido a este acto heroico, se quede ciego por completo y pierda todo deseo de escribir. Nada. Ni el más leve intento de acercarse a las llamas. Permanece inmóvil en su puesto de vigía privilegiado. Adivinan sus ojos una cierta complacencia por el rápido y espectacular derrumbe. Los bomberos, sin embargo, consiguen salvar la planta baja y nuestras habitaciones. No ha sido posible rescatar del fuego mis libros y los escritos con los que yo imaginaba estar construyendo libros. Las cuatro cosas con las que Kafka pensaba escapar a una isla desierta sobreviven intactas. En lugar de escapar con ellas y protegerlas de las llamas, mi Kafka ha preferido salir corriendo de la casa y ahorrarse la escena del salvamento de la que tanto había presumido con sus hijos. Los grandes escritores, a la hora de la verdad, suelen comportarse como hombres vulgares que aparentan ser grandes hombres. El legado de mi madre, que es la casa y todo lo que incluye nuestra casa, le pesa demasiado. Lo esclaviza a su recuerdo y a la fatalidad final que ensombrece su recuerdo. Ese recuerdo que es la casa, y todo cuanto incluye nuestra casa, ocupa un espacio demasiado grande de su tiempo de escritura.

Una vez descubierto el gran secreto, puesto que la loca no ha sido vista en el desván ni en lo que ahora son restos carbonizados del desván, tiene que estar en cualquier otro escondite, de lo contrario habría salido corriendo como yo esperaba y no esperaba.

La lectora debe situarla en otra parte y creer, entonces, que bajo una lápida de piedra en la que aparece grabada una inscripción con el nombre de familia de mi abuelo, la señora Kafka duerme a la espera de que llegue nuestra hora para bajar ahí dentro y acompañarla en su retiro. No soy de esas lectoras que expurgan tumbas para corroborar muertes y asesinatos, aunque, para decir toda la verdad, padezco de cierto complejo necrófilo que me convierte en heroína de cualquier historia de luna y cementerio. Pero como todavía soy pequeña me abstengo y no hago disparates. Me convenzo fácilmente de que se puede vivir en una tumba.

Entre tanto, la muerte es una visita familiar en nuestra casa. Kafka vive seducido por ella. Sea cual fuere la habitación en la que nos presentemos de improviso, allí está la muerte, sentada, de visita, esperando. A Kafka lo tiene embelesado. Sus propios textos están escritos al borde de la muerte. Cada relato suyo, cada una de sus cartas han sido escritos como si dijera las últimas palabras que la vida le concede. Nada de lo que Kafka escribe escapa a ese tono tan caracterísico suyo de testamento. Cada testamento invalida el testamento anterior. En un testamento uno dispone el destino de sus bienes materiales para después de muerto. Kafka dispone palabras. Algo en sus escritos dicta lo que después de Kafka dejará de ser literatura o será nada. Sus escritos parecen una serie de disposiciones a tomar para después de muerto. Es como si después de Kafka hubiera que enterrar para siempre todos los libros existentes y posibles y ya no hubiera lugar para más libros ni para más hijos. Su literatura nos convierte en desheredados de la literatura. Me deshereda, para empezar, de toda posibilidad de ser feliz escribiendo libros o de ser desgraciada escribiendo libros o hasta de no ser nada escribiendo libros.

Es un ritual ir a visitar a las personas queridas que nos aguardan bajo la lápida grabada con nuestro nombre. El nombre queda hermoso esculpido sobre la lápida. Las dos únicas e idénticas vocales del nombre de familia quedan armónicas y necesarias. Parece el nombre más armónico y adecuado para una lápida. Un apellido musical. Un nombre de escritor. Con un nombre así uno ha de ser por fuerza escritor. Es un ritual ver a un padre viudo acompañado de una hija huérfana caminando arriba y abajo del cementerio. Se trata, seguramente, de unas visitas formativas: hay que saber convivir con muertos y aprender cuanto antes que también cualquier día estaremos muertos si no estamos muertos ya, incluidos esos niños pequeños que acompañan a su padre al cementerio. Kafka supone que con este rito dominical, sin duda formativo, dejaré de perseguir a mi madre por lugares estrambóticos, dejaré de arrasar desvanes y provocar incendios. Más probable parece que estos paseos al cementerio conduzcan a enseñarme el lugar a donde irán a parar todas nuestras ambiciones literarias, donde terminarán, sin remedio, todos los libros escritos y todas las lecturas posibles de estos libros. No merece la pena escribir y, sin embargo, estamos condenados a escribir, cuando menos, mientras Kafka viva y viva esa maldición que lo ha engendrado y fabricado. En el silencio del cementerio, Kafka me convierte en culpable de tener una madre muerta, de haber ocasionado la muerte de la madre, de tener un padre escritor, de ser hija de una madre que no fue escritora, de ser algún día escritora o de no llegar a serlo y de no tener otra salida que la de presentarse allí los domingos para renovar el invariable proceso.

Leer Kafka me tranquiliza. No dudo que escribe para que yo pueda resolver sus papeles en busca de sus palabras y de lo que oculta su escritura. Mientras leo lo que Kafka escribe y oculta, doy sentido a su escritura. No soy la única en la familia con ideas raras en la cabeza. Amo y odio la literatura antes de saber qué es y para qué sirve, si es que el arte literario sirve finalmente para algo. Quiero, como Kafka, dedicar mi vida a la literatura, pero al contrario de lo que hace Kafka, no quiero que mi trabajo entorpezca mi vida aunque mi vida esté dedicada por completo al arte literario. La literatura, pienso yo, me distraerá en el camino hacia la tumba.

Su forma de vivir pensando en que se puede morir ahora mismo cuando no está ya a punto de morirse. Sus hijos, con nuestras peleas, podemos ser los primeros en matarlo. Siempre estamos a punto de matar al padre a fuerza de disgustos. Hay que defenderse ante la amenaza de un padre que al primer desacuerdo con los hijos puede morirse de un disgusto. Hay que escribir y defenderse con las palabras. Hay que procurar no herirse uno mismo con las palabras igual que hace Kafka en cada relato que escribe contra su amenaza de padre.

Piano ardiente bernhardiano
o problemas y servidumbres
del pianista frustrado

NO PUDE elegir otra cosa. Para cuando llegó el momento de decidir entre escribir o permitir que los demás escriban, ya había leído demasiado. Habría podido ser cualquier cosa que me propusiera, según Kafka, habría podido llegar a ser una correctísima concertista de piano. Con toda seguridad, no estaba tan dotada para la música como al principio le parecía. Tampoco debía de estarlo para la literatura pero en mis intentos de ser escritora nunca me ha sucedido aquello que hizo que me apartara del piano para siempre cuando aún tenía edad de convertirme en una pasable concertista de piano. Convencido de que los talentos crecen en la adversidad, Kafka pensó en estimular mi consagración al piano presentándome el piano como la cosa más insoportable que podía hacer el resto de mis días. Contrató una profesora de piano que se ocupaba de darme clases de piano durante las horas de mi tiempo libre en el colegio. Las horas en las que yo podía ser igual al resto de mis compañeras tenía forzosamente que tocar el piano y aceptar que ni en las horas de recreo fuera una niña dispuesta a divertirse o aburrirse como otra niña cualquiera de la escuela. Tocaba el piano y daba muestras de tener buena disposición para ello; por pequeña que fuera, el piano se me daba francamente bien, demasiado bien para que la profesora, que era una pianista incompetente y una concertista frustrada, estuviera contenta conmigo y no me tratara como si fuera la peor alumna que puede tener una monstruosa profesora de piano. Sus métodos de enseñanza podían ser válidos para aquellos alumnos que desconocen todo lo relacionado con el dolor y el sufrimiento y necesitan que el piano y una mediocre señorita de piano les anulen esa incapacidad que tienen para sentir el dolor y el sufrimiento. El método de bofetada y sonrisa que empleaba conmigo era válido para que yo, con mi incapacidad para superar el dolor y el sufrimiento, detestase el piano con todas mis fuerzas, que era poco más o menos lo que pretendía la señorita de piano al aplicar su método. Y al principio, cuando el método de bofetada y sonrisa apenas estaba en sus comienzos, lo pasaba maravillosamente bien con el piano. Cuando en casa del abuelo Kafka daba verdaderos conciertos infantiles de piano toda la familia aplaudía mi dudoso talento pianístico que se terminó de estropear, a fuerza de pellizcos, bofetadas y empujones propinados por una vulgar profesora de piano.

Sentía un desprecio secreto e infinito por la profesora de piano y un desprecio más grande, si cabe, por mí misma mientras tocaba el piano, pues era allí donde me daba cuenta de mi incapacidad de confesar a Kafka que quería seguir tocando el piano a condición de que apartase para siempre de mi vista a aquella profesora de piano. Tal era la humillación a la cual me tenía sometida día a día, durante años, la señorita de piano que un sentimiento de pena hacia Kafka me impedía revelarle el daño físico y espiritual que la señorita de piano infligía a su hija cada día durante quién sabe cuántos años. Y un sentimiento de pena hacia mí misma, al pensar en el horror que me causaba la señorita de piano, me llevaba a imaginar el dolor que me causaría si fuera a mi propia hija a quien la señorita de piano estuviera torturando con unas mediocres y vulgares clases de piano.

Kafka es incapaz de levantar la mano contra nadie, lo cual no significa que no pueda ser un padre de aquellos que por lo mínimo se les escapa la mano, involuntariamente, no como la señorita de piano, que ponía su satisfacción máxima en los golpes que daba a la niña con pretensiones de ser una concertista de piano. Nunca supo pegar una bofetada auténtica, pero aquel interés suyo en quedar bien con la señorita de piano, en saber qué dice de mí la señorita de piano, en estar yo contenta porque, al fin y al cabo, tengo una señorita de piano, me hacía sospechar que era una encargada suya para maltratarme. O bien, me sentía obligada a pensar en todo lo contrario: Kafka, siempre tan sensible al dolor, nos había hecho igual que él desmesuradamente sensibles al dolor, que por nada llorábamos. Kafka, suponía yo, sufriría lo indecible cuando se enterara del dolor corporal y psíquico que padecía la lectora a causa de una frustrada profesora de piano.

Con todo, la lectora habría soportado cuatro años más con la demente señorita de piano y habría continuado la carrera de piano con mi estúpida profesora de haber accedido Kafka a mis ruegos cuando le pedía un piano, que me comprara un piano, que por una navidad o mil navidades juntas y multiplicadas, hiciera el favor de comprarme un piano porque sin piano en casa es inútil llegar a ser una buena concertista de piano. Un piano, en casa, era la mayor de las barbaridades que le habían propuesto nunca.

El ruido de las teclas ensordecería su escritura. No se podía hablar más de este tema porque este tema volvía a poner en cuestión la importancia sagrada de la literatura de Kafka, su literatura a costa de sacrificar el posible talento de su hija semidotada para el piano.

Tal vez habría accedido a algo con respeto al piano que yo tanto necesitaba si, debido al motivo de no tener un piano, la pequeña artista hubiera caído enferma o me hubiera escapado de casa a la búsqueda de alguien que me dejara un piano. Yo no estaba de ningún modo dispuesta a morir por un piano, ni tampoco a iniciar una batalla llamada mi piano contra su literatura. Habría perdido mi piano fatal y justamente. Aún estaba menos dispuesta a tener que darle la razón un día, aquel día en que nos diéramos cuenta de que yo no servía ni siquiera para tocar el piano. Renunciaba al piano. No podía hacer otra cosa que renunciar al piano con todo el dolor que traía consigo esta renuncia porque lo que más me gustaba de tocar el piano y de llegar a ser un día una pasable concertista de piano eran las horas, un sinfín de horas diarias, toda una vida de horas destinadas al piano. ¿Qué iba a hacer yo con aquella cantidad de tiempo que tenía por delante? El solo hecho de pensar que iban a ser ocupadas en estudiar música y sólo música me tranquilizaba. ¿Qué haría yo durante las tardes de todos los domingos de mi vida si dejaba para siempre el piano? Esa nada, ese no saber qué hacer con las más de seis horas diarias destinadas al piano, cuando ya no hubiese piano que aprender, me quemaba por dentro. Con mi renuncia al piano no quedaban más excusas para dejar de hacer lo que siempre supe que haría con mi vida. Dedicaría todo mi tiempo a reproducir lo que hacía Kafka con su tiempo de escritura y su obsesión maníaca porque nadie ni nada le robasen el tiempo de escritura. Entregaría mi vida a la escritura. Así nacen las vocaciones: de improviso. Uno quiere ser músico y de pronto se da cuenta de que ha nacido para hacer literatura. O dicho de otro modo: cuando surge un pianista frustrado, nace un escritor.

Ya no sería concertista de piano porque los adoradores del piano no pueden dejarlo a medias, no pueden guardar el piano para las ocasiones en que algún ignorante de la consagración de los pianistas al piano les ruega que por favor toquen alguna cosa en el piano, tienen que olvidarse para siempre de que alguna vez supieron tocar el piano; pero, para dejar definitivamente el piano, debía encontrar el momento oportuno para que Kafka no me repudiara como padre por negarme a ser la hija concertista del escritor Kafka aficionado al piano. Y cuando el piano hubiera desaparecido para siempre de mi pensamiento, entonces escribiría y dedicaría a la escritura muchas más horas de las que el pianista dedica a ejercitar sus dedos sobre las teclas del piano. Ésta es la única manera de ser escritora aunque nadie sepa y todo el mundo admire al pianista, sobre todo por ser capaz de pasar tantas horas sentado frente al piano y nadie admire al escritor porque se prefiere ignorar que éste debe pasar sobre el papel tantas o más horas que el pianista sobre el piano. Y toda esa dedicación independientemente de si se es o no un buen escritor o si se es o no un buen concertista de piano. Luego existen estos excelentes intérpretes de piano que reniegan del piano porque desean convertirse en escritores y como escritores son un fiasco y también algún que otro escritor de medio pelo que habría llegado a ser un magistral escritor si en su momento se hubiera dado cuenta de que lo suyo no era el piano. Y al fin, todo artista frustrado termina siendo escritor porque ser escritor es ser un artista permanentemente frustrado.

Y mientras esperaba el momento propicio para declarar a Kafka mi rebeldía contra el piano, iba aguantando los castigos de la profesora de piano que como un fantasma aparecía y desaparecía en los lugares más extraños e inoportunos. En todas las mujeres de aspecto bondadoso y de modistilla de barrio veía yo a la señorita de piano. La señorita de piano me perseguía a donde fuera y ahí estaba, esta vez de verdad, por cierto, aquella tarde en que Kafka me llevó a escuchar, creo, un concierto para violín y piano de Haydn. Descubrí en medio del patio de butacas de la sala de conciertos a la señorita de piano acompañada del que tenía todos los atributos para ser el pobre novio de la señorita de piano. Tal fue mi espanto al ver a mi torturadora del piano, que no me atreví a comentar a Kafka «mira, ahí está mi profesora de piano» pues preferí suponer que esta vez tampoco era cierto, que en el patio de butacas escuchando un concierto de Haydn no estaba la señorita de piano y que el resto eran imaginaciones mías. Y por si acaso, evité, todo lo que me fue posible, que me viera la señorita de piano aunque, tanto si me veía con mi padre como si no, acabaría igualmente por maltratarme al día siguiente durante la clase de piano. Hasta tal punto consideraba demoníaca a la señorita de piano, que me parecía imposible verla no solamente en nuestra sala de conciertos sino que, además, estuviera acompañada de un novio en la sala de conciertos. Aquella espantosa profesora de piano no podía tener un novio que la amase a no ser que se tratara de un hombre más monstruoso, si cabe, que la señorita de piano. Por todo ello, Kafka no se merecía, de ninguna manera, que le presentara a la infame profesora de piano que disfrutaba al humillarme cuanto podía y parecía gustarle cada vez más verme llorar y llorar sobre las resbaladizas teclas del piano. ¡Y cuánto detesto a las personas que me hacen llorar porque su crueldad interior les avisa que soy una persona de las llamadas demasiado sensibles y fáciles de hacer llorar por culpa de aquella maldita señorita de piano! Y por si no fuera bastante el espanto de encontrarla, sentada aquella tarde en la sala de conciertos, la señorita de piano se había convertido en una señora más inhumana y sádica de lo que tenía por costumbre cuando estaba en el colegio, porque yo estaba precisamente allí, junto a Kafka, en la sala de conciertos, y todo lo desagradable que vivía cuando niña y que provenía del exterior se volvía más desagradable cuando estaba presente mi familia, mi interior. Parecía como si en cada uno de vosotros hubiese una señorita de piano dispuesta a golpearme y todo el público que estaba en la sala de conciertos se hubiera transformado en cientos de señoritas de piano.

El gran transgresor

L A FAMILIA de Franz Kafka jamás ha hecho el menor
caso de la dedicación del pobre Franz a la escritura. A lo sumo, ha dicho de él que escribe unas cartas memorables, que tiene un talento especial para
escribir lo que se debe decir en una carta. Como una gran
cosa ha comentado que posee dotes ejemplares para cul-
tivar el género epistolar y, especialmente, según repite el
abuelo Kafka, para redactar cartas de pésame y esquelas
mortuorias. Consigue la entonación precisa, el justo punto emotivo para que la carta de pésame sea el texto más
conmovedor y más comentado de todas las cartas recibi-
das por la familia del difunto. Y éste era el momento, el
único momento, en que el abuelo Kafka ponía cara de satisfacción por algo que concernía directamente a su hijo
escritor, por ser padre de un hijo que disfrutaba de una facilidad especial para escribir textos mortuorios. Y cada
vez que Kafka oía la palabra *facilidad*, que tan alegre-
mente soltaba el abuelo para referirse a esa nadería suya
que era poca cosa comparada con toda su vida dedicada a
la escritura, yo sentía cómo se le descomponía el ánimo.
Lo que el abuelo Kafka tenía por costumbre llamar facilidad, los escasos momentos en que se refería a las dotes li-

terarias de su hijo, representaba para él años y más años de librar una batalla diaria con las palabras. Y, sin embargo, cuando Kafka oía la palabra *facilidad*, destinada a él y a su talento para la redacción de esquelas mortuorias, se limitaba a sonreír al abuelo y, en lugar de descargar toda su ira contra él, la vomitaba contra sí mismo y la inutilidad de las palabras. De nada servía que yo siguiera a la espera del bendito momento en que levantara su mano y la estrellara contra la mesa del comedor en cualquier instante del almuerzo o el café de los domingos en casa del abuelo. En lugar de levantar la mano, sonreía ante la franqueza del abuelo alabando su facilidad por ese tipo de escritura que era la única clase de escritura que se sentía dispuesto a leer de su hijo. Pocas cosas podían excitar tanto a Kafka como el que la ocasión propicia le permitiese lucir sus dotes de escritor escribiendo otra de estas cartas de duelo. La desaparición de personas amigas o conocidas convertía a Kafka en un ser útil y casi imprescindible para salvar la penosa situación de aquellos momentos. El bienestar anímico que le concedía el diálogo epistolar con la familia de los muertos no se lo habría dado siquiera un editor, dedicado y generoso como lo fue Kurt Wolff, el editor de Kafka. Se sentía colmado y casi alegre cuando regresaba de visitar a un amigo o conocido en tal o cual cementerio, o bien, cuando terminaba de cumplir con los ritos propios de un entierro.

La muerte de las personas queridas nos aleja terriblemente de ellas. A Kafka parece sucederle lo contrario, como si esa despedida fatal de las personas amigas las aproximase más íntimamente a su recuerdo. Arropa a sus muertos con un afecto que nunca le he visto entregar en vida. Con cada ausencia, Kafka no pierde, como se suele decir, un amigo. Siempre me ha parecido ver que ganaba un compañero más en su aislamiento.

Parece extraño que un escritor tan apegado a la idea de estar solo aparezca siempre rodeado de mujeres. Es el padre que todas mis amigas, sin excepción, prefieren. Me pregunto por qué llegará a cautivarlas de ese modo. Pronto me doy cuenta de que se llevan mejor con Kafka que conmigo, que soy la amiga de ellas. Mis amigas vienen a casa y pocas son las veces que aceptan quedarse en mi dormitorio a conversar e intercambiar secretos. Aprendo con recelo que mis amigas dicen que vienen a verme para poder estar un rato con mi padre. Confiesan que tengo una suerte enorme de ser la hija de un padre tan amable y conversador como ningún otro. Les aseguro que están equivocadas. Les digo que Kafka es un hombre silencioso, reservado y tan tímido, que no entiendo cómo puede distraerlas pero lo cierto es que mis amigas están locas por él. Nada más llegar van a la biblioteca, se sientan a su lado y se ponen a hablar de temas que me parecen impresentables para unas niñas de esa edad. Todas dicen que quieren ser escritoras como mi padre. Kafka, conmovido por este deseo, se acerca a cualquier estante de su biblioteca, elige un libro y lo enseña a mis amigas como si se tratase de un tesoro único en el mundo. Me pregunto por qué razón son ellas, y no yo, su hija, las que se merecen ver el libro tan interesante que a mí aún no ha querido enseñarme. Además, mis amigas no son lectoras, ni nada que se le parezca, pero con sólo estar cerca de Kafka se transforman en otras personas. No tengo más remedio que cambiar de amigas. Aunque es inútil. Kafka las sigue cautivando. Enamora a mis amigas nuevas, que permanecen embelesadas ante su reserva, y enamoraba a las antiguas que, a mis espaldas, continúan viéndolo. Y tengo que descubrirlo mucho más tarde cuando me dicen: he pasado el día con tu padre, qué suerte tienes de tener un padre tan alegre y divertido. Yo les aseguro que se equivocan, pero no me hacen caso. Dicen que estoy celosa y que Kafka es de todos. Kafka las sienta a su mesa y las ayuda a hacer los trabajos de la escuela. Las ayuda, por ejemplo, a elegir las reproducciones de Budapest, Viena y Varsovia que deben acompañar el texto de un trabajo de historia sobre Europa central. Kafka les escribe parte del texto y ésta es la oportunidad que tengo para reírme de ellas, que desconocen totalmente el valor cultural e histórico que tienen las palabras de Kafka escritas sobre sus trabajos académicos. Las muy ignorantes convierten en suyas las frases de Kafka. Por ejemplo, en lugar de escribir «Kafka dice», hacen ver que la opinión de mi padre ha salido de sus cortas cabecitas.

Hoy mismo, sin ir más lejos, mi amiga Marthe se ha llevado el volumen de la correpondencia seleccionada de Flaubert que Kafka le ha prestado. Ese libro de Flaubert en casa de mi amiga Marthe me quita el sueño. Está claro que tendré que seguir siendo su amiga hasta que me devuelva el libro y es conocida la desidia adolescente con respecto a los libros prestados. Al segundo de tenerlos olvidan que éstos siguen perteneciendo a un dueño. Estoy convencida de que Marthe jamás abrirá ese libro que en estos instantes ya debe de andar perdido en cualquier parte.

Me cuestiono sobre cómo seguir siendo la hija de Kafka y una más del club de sus admiradoras. Todas las mujeres que lo persiguen y enloquecen por estar con él no me producen la menor envidia. Dicen ser escritoras porque gracias a Kafka han encontrado en la literatura un sentido a su existencia que nada ni nadie podía darles. Franz Kafka se ha convertido en el director espiritual de estas fanfarronas. Aseguran que Kafka les ha abierto los ojos al mundo de la literatura y que a partir de ese momento no les queda sino expresar el resto de sus días su admiración por Kafka. Repiten cual cotorras: «El autor de lo breve, lo conciso, lo menguado. El autor que todas llevamos dentro. El inalcanzable Kafka».

Todas estas mujeres escritoras se atribuyen hijos de Kafka. La idea original de este hallazgo provino de Grete Bloch y de su historia desdichada a propósito del hijo imaginario. Grete Bloch conoció a Kafka, empezó a escribirle y de ahí a decir que esperaba un hijo suyo fue cosa rápida. El intercambio epistolar con Kafka produce este mal a las mujeres. Se creen fertilizadas del semen de Kafka. A buen seguro que Franz Kafka ignoraba esa cualidad de su escritura de lo contrario habría interrumpido su larga correspondencia con mujeres que por el mero hecho de escribirle ya parecían tener derecho a inventarle hijos imaginarios. Algo tendrán ciertos escritores para que las escritoras les supongan hijos imaginarios. Sabe Dios la cantidad de pequeños y de pequeñas Kafkas que habrá esparcidos por el mundo y todo por la gran pasión de las escritoras hacia el escritor Kafka.

Seguramente esta insistencia de tantas mujeres por quedar embarazadas de Kafka tiene que ver con su maestría para fertilizar palabras y esconderlas al mundo como ellas esconden a sus hijos imaginarios. A partir de Grete Bloch, a muchas escritoras les dio por engendrar hijos, nietos y bisnietos de Kafka.

Jane Bowles, por ejemplo, creyó que el azar la obsequiaba, al fin, con una materia prima, el artista Paul, que podía domeñar a su antojo y transformar en el escritor de sus sueños. Del músico Paul salió un narrador hechizado por el desierto árabe. Si Kafka veía su vida adulta en Israel, la tierra prometida, Bowles la dirigió hacia Marruecos. Uno y otro eran escritores errantes. El Kafka que era para la tal Jane su marido Bowles no consiguió otra patria que no fuese la escritura, esa tierra de nadie poblada de espacios imaginarios. Lo mismo puede decirse de Beckett, Borges, Nabokov, Conrad..., todos grandes o pequeños Kafkas errantes.

Jane Bowles consiguió un Kafka para ella sola y cuando lo tuvo a su disposición se preguntó si merecía la pena seguir escribiendo libros, teniendo en cuenta que su marido Bowles lo hacía sobradamente por ambos. En suma, fue una escritora breve pero colmada.

Katherine Mansfield, según tengo noticia, tuvo que pasar por distintos contratiempos para conseguir su objetivo: el hijo que Kafka nunca quiso darle. El peor de ellos fue sufrir la misma enfermedad de Kafka, que a ella también le costó la vida.

Si quería un Kafka para sí, Katherine Mansfield no tenía otra opción que hacer un Kafka de sí misma independientemente de la diferencia de sexos que los separaba. Por ese motivo, tuvo que soportar la compañía de un esposo (poeta, por más señas) que no la amaba y se aprovechaba de ella para conseguir sus propios fines artísticos. Tuvo que vivir en un balneario alemán durante un tiempo indefinido para no ser menos que su homónimo Kafka. Y tuvo que sufrir la larga y definitiva enfermedad de los escritores de aquella época. «La tuberculosis —decía

Katherine Mansfield— es la culpable de que tanto Kafka como yo escribamos relatos cortos y proyectos de novelas». La fatiga los atormentaba mientras escribían, pero ella insistía. Y cuando al fin hubo conseguido quedar embarazada de su escritor predilecto, entonces, murió.

Susan Sontag, por el contrario, siempre dijo de sí misma que era la hermana preferida de Kafka. Con parecido criterio habría podido decir también que era su hija y ahí sí que se habría producido un conflicto histórico. Nos habríamos peleado. Pero la Sontag, cuya inteligencia supera a su talento de escritora, concluyó que resultaba más expeditivo sacar de sí misma un pequeño Kafka si, en lugar de casarse, adoptaba el papel de la dulce hermana del escritor checo. Kafka siempre deseó dar un hijo a la Otla comprensiva y generosa aunque también siempre hubo algo tenebroso que en el momento crítico se lo impedía.

Eran tantas las afinidades de Susan Sontag con el escritor, que decidió prescindir de él, hacer su vida y olvidar a Kafka todo el tiempo que su memoria lo permitiese. Y es probable que lo haya conseguido, pues apenas si se los relaciona. Testaruda como es, la Sontag continúa escribiendo sobre otros escritores distintos de Kafka, pero que casualmente forman parte de la misma familia.

Es la escritora rebelde por antonomasia y por muchos que sean los hijos que pueda tener con Kafka, nunca lo subyugará, ni le pedirá cuentas, ni mucho menos pretenderá dominarlo.

No ha ocurrido así con otra escritora de entre las múltiples fertilizadas con el proyecto Kafka. Otra mujer que se hizo un lío con la idea de tener o no tener hijos de Franz Kafka fue Marthe Robert. Ni más ni menos, la misma Marthe, mi amiga de la adolescencia, que se llevó prestado el libro de la correspondencia de Flaubert, el cual, por otra parte, nunca devolvió a su dueño.

Siempre me tuvo envidia. Quiso ocupar mi puesto cuando la muy tonta no se daba cuenta de que desde el suyo podía sacar muchas más ventajas. Pero no se dio por vencida y fue la que llegó más lejos en sus despropósitos. Se declaró hija adoptiva de un tal Franz Kafka. Y lo que sucede con las hijas adoptivas cuando son ellas las que eligen a los padres y no al contrario. Marthe nunca se sintió querida por su padre. Vivió toda su vida atormentada por la obsesión de hacer de Kafka el padre de los padres. Escribía una y otra vez sobre él. Sobre el aroma de Kafka o sobre el color de la tinta de la estilográfica de Kafka...

En cuanto tenía ocasión, le decía a Marthe: «No escribas tanto sobre Kafka».

Escribir es volverse loco.

El eterno amigo

AHORA ya no tiene mérito que todo escritor que se precie vaya a la caza y captura del amigo que se ocupará de eternizarlo. Por otro lado, basta que lo busques para que no lo encuentres. Kafka decía de sí mismo que desestimaba la celebridad y dio, sin saberlo, con el amigo mejor preparado para proporcionársela: su amigo del alma Brod. Max Brod cuenta que vivió atormentado por haber dedicado su vida a consagrar al escritor que menos deseaba ser consagrado. Yo no les creo. Ni a él ni a Kafka.

Por mucho que se lamente de haber traicionado a su amigo, aún veo a Max Brod caminar del quiosco de revistas a su casa como si no hubiesen pasado los años desde aquellos días felices en que venía a casa a conversar con mi padre. La culpabilidad de la que hace gala en sus escritos no ha hecho más que rejuvenecerlo. Cada vez que tropiezo con el amigo de Kafka, y ocurre poco, a lo sumo una o dos veces por año, observo que, en lugar de envejecer como le corresponde, parece cada vez más joven.

Cuando lo veo, evito saludarlo. Tampoco me gusta recordarlo pues me he dado cuenta de que el hecho de pensar en él me lleva a un próximo encuentro inevitable. Y no soporto ver a un joven que dice ser el amigo de infancia de Kafka, indulgente con el mundo y caminando por la calle como si los años no pasaran para él, mientras mi padre sigue muerto. Y es gracias a Kafka que Brod se pasea indefinidamente por el mundo. Un Brod que cada día se parece menos al Brod que yo recordaba sentado en la sala de estar junto a mi padre.

A eso de las tres de la tarde llegaba Brod y se quedaba hablando con Kafka hasta bien entrada la noche. Brod hablaba y Kafka escuchaba, con una paciencia infinita, todas sus elucubraciones filosóficas. Su eterno miedo de ser Brod y no Kafka. Así, durante años. Y después he tenido que tropezar unas mil veces con Brod cuando sale a caminar hacia el quiosco de periódicos. Me saluda y luego transcurren unos segundos durante los cuales me estudia detenidamente hasta que dice: «Tenemos que vernos». Y ese «tenemos que vernos» de Brod que jamás se cumple, fuera de las ocasiones esporádicas, significa que debemos vernos para hablar de mi padre, lo que significa a su vez que hable Brod y yo le escuche tal y como solía hacer mi padre.

Eso es lo que llaman lealtad y veneración al amigo escritor de otro escritor al cual le resulta imposible escribir otra cosa que no sea Kafka. Brod no puede vivir sin la existencia de su amigo y, a decir verdad, Kafka jamás habría sido quien fue sin la persistencia de Brod. En todo escritor, me digo, si hay suerte existe un Brod y un Kafka. Pues cuando sólo existe un Kafka en el talento de un escritor y una negada predisposición a entregar al mundo esta literatura, Kafka queda hundido en el silencio, a no ser que su mellizo Brod acuda a socorrerlo. Basta con que un amigo Brod crea fervientemente en un escritor llamado Kafka para que aparezca otro Kafka en el mundo. Los críticos literarios son otra cosa. Me refiero ahora a los servidores literarios: un Brod para Kafka, un Beckett para Joyce, una Suzanne para Beckett, etc. La devoción es diferente.

Hay muchos críticos literarios, y algunos de ellos buenos críticos, que cortejan a los escritores estelares porque no sienten la menor envidia del talento de dichos escritores. Es un alivio para el crítico escribir una crítica de novelas legibles, digeribles y nada problemáticas en el sentido de que no ponen al crítico en la disyuntiva de tener que apostar por un texto todavía no criticado por el crítico; de tener que jugarse el tipo por un autor difícil o demasiado fácil o desconocido. El crítico, incluso los buenos críticos, escriben sobre los autores mediana o largamente conocidos por el lector o sobre los amigos o amigos de los amigos de los críticos. Da gusto escribir sobre los autores archiconocidos y ponerlos como ejemplo de inimitables maestros. Da una especie de seguridad erudita citar a los grandes autores que a fuerza de ser citados conseguimos que no se lean nunca. De vez en cuando, un crítico rescata lo que se suele llamar un autor olvidado o descubre a un escritor de los llamados malditos que en su día llegó incluso al suicidio para que un crítico lo descubriese y, de pronto, un crítico redentor lo resucita de sus cenizas. Y para que este crítico consiga lo que se dice una verdadera resurrección del autor maldito es necesaria toda una operación editorial que apoye a éste y a mil críticos más en el lanzamiento de tal autor inútilmente maldito. Es entonces cuando una larga serie de críticos se pelean entre ellos por comentar y festejar la obra de aquel autor en su día felizmente maldito. Y resulta repugnante que por una pura y sencilla operación de marketing se vendan Kafkas como rosquillas, y todo el mundo devore o trate de devorar intragables Kafkas y no exista mesilla de noche sin un Kafka a la vista y se llame Kafka al perro, al pato, al coche, a la criada...

Pero incluso, mucho mejor que los críticos, son los políticos los verdaderos expertos en lanzar obras de arte al mercado humano. Así, por ejemplo, Kafka dice que cuando un político confiesa a los medios de comunicación que tiene el libro de tal escritor en la mesilla de noche, el escritor amigo del político se convierte de la noche a la mañana en el autor por excelencia. El escritor amigo del político, y, como consecuencia, el amigo supuesto del crítico literario, se convierte en un santiamén en otro exhibicionista de la literatura. Aunque no sé si resulta más vergonzoso ser un exhibicionista de la literatura o una lectora de pacotilla, una lectora de tres al cuarto como soy yo. Ya de niña leía los mismos libros que leía Kafka y escribía una a una las mismas palabras que escribía Kafka, con lo cual he logrado ser una escritora de obra hueca. Ni tan sólo he llegado a ser una escritora para escritores que es, en definitiva, la única manera de ser escritor después de existir un escritor como Kafka. Apenas en una colérica escritora de cartas es en lo que me he convertido, una escritora que no lo es y amenaza con que ésta será la última carta, ésta la última novela, y siempre hay otra carta, y otra novela o cualquier cosa que se puede llamar novela después de la última. Quiero escribir una novela y es una carta lo que termina saliendo de esa falsa pretensión de novela. Quiero leer una novela y termino siempre por leer un texto que se llamará novela o no, pero que leo como si fuese una carta y yo su única destinataria. Hay lectores, por lo gene-

ral malos lectores, que leen un texto, se llame o no novela, y creen estar leyendo en este texto novela la autobiografía del autor. Como el abuelo Kafka que, por lo menos,
se ha resistido siempre a leer los libros de su hijo Franz,
en lugar de leerlos e ir diciendo por ahí que son reflejos
directos de su vida y la vida de su hijo. Cuando menos
dice eso sin haberlos leído. No como algunos que leen con
el pobre espíritu de reprochar al autor que sus novelas son
retratos totales de sus desdichadas vidas; eso dicen sin haber aprendido el significado de vida y aun menos de autobiografía, y, lo que es más grave, desconociendo en absoluto el significado de literatura. Lo que tampoco es
importante si, finalmente, disfrutan con pensar que el escritor en sus novelas no hace otra cosa que explicar su
vida.

Max Brod, el amigo de Kafka, ha sido el peor de los
lectores posibles. Escandalizado por la impresión de vida
desolada que Kafka ha dejado a sus lectores, la ha desvir-
tuado como ningún otro escritor sería capaz de hacerlo;
aunque después de Max Brod todos los escritores nos ha-
yamos ocupado a nuestro modo de tergiversar una y otra
vez la vida de Franz Kafka. Hemos hecho de Kafka una
especie de máscara que colocamos a cada escritor con aspecto de llamarse Kafka. Después de Brod todos hemos
intentado ser un poco Brod y un poco Kafka. El único
tema persistente de escritura de Brod ha sido Kafka.
Como, en lo esencial, Kafka es el tema de escritura de todos los escritores y no solamente escritores. Brod fue el
primero en escribir la biografía de Kafka, la peor biografía jamás escrita, la que Brod juzgaba más verdadera y, por
tanto, para desgracia de Brod y sus lectores, también la
menos falsa. Una biografía verdadera es la pretensión más

absurda que pueda plantearse un escritor. Pero el escritor Brod cultivó, además, todos los otros géneros literarios con el interés de seguir contando a través de ellos la vida de Kafka. Stefan Zweig todavía se sorprende cuando, al preguntar a Brod sobre sus obras literarias, éste, en lugar de responder a su pregunta, ensalza la prosa y el talento admirables de Kafka. No se ha dado cuenta Zweig de que Brod es el médium de Kafka. El espíritu viviente de Kafka que habla por él y encima lo hace mal, es decir, habla una voz de Kafka lavada mentalmente por su amigo Brod.

Para Brod todos los géneros literarios deben iniciarse y culminar con Kafka. Es la única manera de acabar con la división de géneros literarios. Y así la emprende con una pieza de teatro titulada *El castillo* y que es, tal cual, el esbozo de la novela *El castillo*, de Kafka, transformada en obra de teatro. Como si no hubiese otra historia que contar que la de *El Castillo* de Kafka. En el castillo de Brod, el personaje K. del castillo de Kafka es un personaje más humano porque a Brod, *El castillo* de Kafka le pareció siempre una obra deshumanizada que no reflejaba la personalidad real de su autor, a decir de Brod, mucho más humano de lo que se desprende de sus obras.

Con idéntica filosofía, el amigo Brod, asustado por la extraña obsesión de su amigo Kafka en querer presentarse siempre como el antihéroe de sus novelas, lo transforma en el feliz héroe de las suyas.

Desde que Brod escribiera su primera novela en colaboración con su amigo ya no le ha sido posible escribir una sola línea sin la presencia de Kafka, sin que Kafka sea el centro vital de sus novelas, sus críticas, sus biografías y obras de teatro. Comportamiento que revela una inteligencia superior a la de otros escritores que quisieron superar el talento de Kafka sin, naturalmente, conseguirlo. Por el contrario, Brod parecía saber muy bien que la única posibilidad que tenía de quedar en la historia mundial de la literatura era siendo el amigo íntimo del escritor, el encargado de llevar a cabo la beatificación de Kafka.

Max Brod es en sí mismo un género literario que se pasea por la vida a expensas de un muerto, un nombre consagrado pero inánime. El género literario llamado Max Brod significaría que no existe la literatura si no es para referirse una y otra vez a Kafka. Lo cual no deja de ser cierto. Lástima que Brod cumpla mal que bien y más lo primero que lo segundo su cometido y trate de retocar y reescribir esbozos de novelas hasta convertirlas en sensatas y aburridas novelas que ni la presencia de Kafka como personaje principal de las mismas salva de la mediocridad pasmosa.

Por otra parte, no he hecho otra cosa en la vida que leer las cartas de Kafka, lo cual me ha convertido en una espléndida lectora de cartas y me ha hecho leer todos sus escritos como si lo fuesen. Habría podido llegar a ser una escritora aceptable de no haber tenido la obsesión de escribir cartas. Habría podido llegar a tener un marido, unos hijos, una felicidad aceptable, una manera de ser como todos los que dicen no ser como todos. En lugar de eso, permanezco sentada ante mi mesa de escritora de cartas y escribo sobre mi imposibilidad de ser nunca otra cosa que una desgraciada escritora de cartas. Me quedo día tras día en la misma posición de Kafka cuando se sienta en su mesa de escritor de novelas y relatos frustrados y escribe sobre la imposibilidad de llegar a escribir nunca una novela o un relato. En esta postura de escritor de relatos o de cartas, que resulta ser lo más agradecido de todo el proceso de escribir bien sean relatos largos, bien sean cartas. En esa postura de trabajador intelectual que, cuando menos, justifica la enorme inutilidad de escribir relatos y cartas. Y esa obsesión de Kafka por no vivir para otra cosa que no sea la literatura me roba toda posibilidad de escribir literatura. Es más terrible ser una escritora sin palabras que un escritor perseguido por la palabra. Y me resisto a enseñar a Kafka mis textos publicados o los que no han sido publicados, puesto que no han sido escritos por la escritora sin palabras, sino por la hija de Kafka que está condenada a repetir hasta la muerte y la muerte de los hijos de los hijos de Kafka su estilo.

Ahora que el lector no lee, tampoco es tan grave ser un escritor que no escribe. Ejercer una profesión desaparecida e insistir en la defensa de esa profesión ya del todo desaparecida. Sobre todas las cosas, insistir. Lo importante es la insistencia, en esta época en que no sólo la literatura sino la insistencia han desaparecido del todo. Ahora, ser escritor consiste en hablar aquí y allá de esa profesión finalmente desaparecida.

Para huir de la esfera paterna hay escritores que necesitan matar al padre así como existen otros que nunca han tenido que matar al padre con sus escritos. Son precisamente estos escritores, por lo general, los que producen hijos con la necesidad vital de matar al padre porque la falta de deseo de matarlo ha contribuido a crear hijos dopados por la prepotencia del padre. Y escritores que se han hecho grandes escritores, como por ejemplo Kafka, a fuerza de matar al padre. O hijos que no necesitan matar al padre, puesto que se creen nacidos con dotes literarias superiores a las del padre. Son hijos que acostumbran conseguir muy prematuramente el éxito esperado y no se dan cuenta de que es el peor de los fracasos en un mundo compuesto, de principio a fin, de mujeres y hombres fracasados. O una hija, como por ejemplo yo misma, que hereda el fracaso del padre y no concibe nada en la vida que no sea de antemano un monumental fracaso. Y cuando escribe, lo que escribe no pasa de ser una larga queja por no poder escribir literatura. Ella, la lectora, no escribe una novela e inventa un personaje llamado abogado, ingeniero o farmacéutico, *alter ego* del escritor, que sufre y es un fracasado porque no ha podido escribir una novela. La lectora se convierte en personaje de la tal novela y cuenta su imposibilidad de escribir una novela cuando hay tantos mortales hoy en día, sino todos, que se consideran capaces de escribir cualquier tipo de novela. La lectora, cuando está de buen humor, inventa que tal vez la literatura surja de una larga queja de no ser ya capaz de hacer literatura. Y toda gran novela, se consuela la lectora, no es más que una gran queja sobre la incapacidad total y honesta del escritor para hacer literatura.

Metamorfosis de un escritor

L A LECTORA vive sola y sin compromiso. El escritor que estuvo a punto de suicidarse, por un desengaño amoroso o por frustración artística, también está solo. El manicomio es la casa de los locos solos.

Pongamos que se casan. En la novela hay una boda. El escritor y la lectora, dos seres fracasados (no puede haber protagonistas con más acumulación de fracasos que el escritor y la lectora), deciden repetir sus hipócritas promesas amorosas quizá por esa especie de atracción que el fracaso contagia a aquellas personas destinadas al desastre en toda empresa que se propongan. ¿Superarán esa tendencia que una y otro tienen a caer en el fracaso?, o bien ¿resistirán el tiempo necesario para que la lectora pueda dedicar a la pareja un solo capítulo de esta novela? Según indican las estadísticas, los matrimonios de seres clasificados como intelectuales alcanzan un cierto éxito de unión perdurable en un veinte por ciento de los casos. Pero cuando se casan, la novela deja de interesarnos. En primer lugar, se aburre la lectora contándola y es ésta la única condición que la lectora no puede permitirse. La lectora ejerce de escritora en un tiempo en que ya no existen narradores ni escritores auténticos, sólo repeticiones de lo que en su día fueron auténticos escritores; en una época en la que ya han dejado de existir personajes, sólo repeticiones de lo que en su día fueron auténticos personajes.

Una vez convertido el escritor suicida en el marido de la lectora, resulta que no se trata tampoco de un escritor común. El escritor reflexiona sobre la posibilidad de que su obra, que hoy no parece interesar al público lector, tenga un éxito merecido después de su muerte. Un suicida no tiene por qué ser escritor. Por otra parte, los suicidas por excelencia son los bomberos y las amas de casa. Pero un escritor que se suicida tiene bastante más garantías de convertirse en un escritor de talento, por poco talento que tenga el escritor suicida. Pensando de ese modo es como el escritor se consuela a ratos de su insatisfacción de autor, de su angustia creadora, estado que, por otro lado, es imprescindible que sufra un escritor. Pensando en su muerte y en la desgracia humana es como el escritor que a punto estuvo de lanzarse al vacío desde la terraza de su desolada casa termina pensando en el amor. Y para saber de amor no hay nada más adecuado que el texto del volumen póstumo de *El hombre sin atributos*, de Robert Musil. Desearía escribir una obrita que lo superara. El escritor, según la lectora, debería darse por satisfecho al disponer de una obra a medias publicada, ya que de esas obras «en su día apenas publicadas» han salido un Kafka, un Musil y otros pocos ejemplos notables de la literatura. De obras póstumas e incomprendidas han salido grandes obras. Es el momento perfecto de escribir obras no publicadas, conservarlas como tesoros y abstenerse de entregarlas al gran público, empachado ya de tantas obras comprendidas y publicadas.

Cuando el escritor piensa en el amor, piensa también en el acto de escribir. Piensa en el tiempo de dedicación a una mujer, similar al tiempo de escritura de una obra. Amar una sola vez y despreocuparse para siempre del amor. No admitir siquiera la posibilidad de que tu mujer se vaya con otro, que es la desgracia que acaba de ocurrirle al escritor suicida, pese a que la lectora se niegue a aceptarlo y cambie las penas de amor por las de la creación artística. Y si llegara a admitirlo, nunca sabría si intentó suicidarse por el dolor causado por la mujer traidora o por el dolor de la escritura baldía. La lectora ha leído que un escritor de la talla de Joyce pedía a su mujer Nora Barnacle que lo traicionase con, por ejemplo, Samuel Beckett para darle la posibilidad de escribir algo interesante. La lectora insiste en decir que no es una mujer sino un cúmulo de fracasos literarios el motivo de los múltiples intentos de suicidio del suicida. El escritor quiere una mujer con la que poder encerrarse a leer *El hombre sin atributos*. La que tiene, mejor dicho: la que tuvo, no le sirve. La cualidad genial del volumen póstumo de *El hombre sin atributos* es precisamente su concepción de borrador. El libro que aún no tenía forma de libro superaba el propio libro. El escritor imagina la manera de escribir una obra sin intención alguna de verla publicada. Si el escritor alcanzara para sí este desafío, de seguro que sería un buen escritor. Si pudiera prescindir de todo intermediario de la cadena de producción de un libro y continuar escribiendo borradores con igual seguridad que si se tratara de un autor consagrado, gracias al buen desempeño de estos mismos impresores, editores, distribuidores, libreros y hasta lectores que considera innecesarios, el escritor conseguiría eliminar el cincuenta por ciento del sufrimiento creativo.

El escritor se convertirá en un ermitaño de la escritura y dividirá su día en las siguientes horas: unas cuantas dedicadas a la escritura propiamente dicha, otras a pensar en aquello que le gustaría escribir y no logra escribir del todo y el resto a añorar el momento mágico y anhelado de la escritura.

El escritor le da vueltas a una frase durante horas. Se divierte pensando en sus mejores frases. Se aprovecha también de la escritura para vengarse de sus familiares y amantes. Así James Joyce manipula su escritura para entretejer en ella frases enteras de la conversación que mantienen sus padres, sus hijos, sus hermanos, sus amigos... El libro que está escribiendo el escritor, una vez tomada la octava decisión de suicidarse, tiene una doble lectura que sólo el escritor, o alguien íntimamente relacionado con él, entiende. El escritor se venga de las infidelidades de su esposa para bien de la escritura. Y las escribe de tal modo que cuando se atreve a leer lo que escribe ya no recuerda nada de las referencias a la vida real que imaginó en su escritura en clave. ¿Lo vivió? ¿Lo imaginó? Y ya no recuerda si asesinó en su libro al amante de su esposa y a su esposa misma o si decidió salvarlos. El escritor, cuando es auténtico, nunca es consciente del daño que puede causar un libro. Ni los críticos, que lo saben todo, consiguen averiguarlo.

Y es posible que lo de menos sea la vida del escritor que escribe una novela fallida y se suicida. Y luego dice que es por culpa de una mujer que se ha atrevido a abandonarlo. Los escritores siempre ponen excusas para escribir o para matarse. En la novela-vida del escritor están todas las novelas que el escritor escribe o no escribirá nunca.

Los escritores acostumbran ponerse enfermos. Es como si la enfermedad fuese el castigo de por qué se escribe y por qué no se escribe. Por mucho que desafíen a la vida con su literatura, los escritores terminan muriéndose y es entonces cuando advertimos que en sus libros no han dejado de recordárnoslo. Aunque crean que escribir es una forma de alargar la vida, todos mueren como los héroes de sus novelas. La lectora, con su empeño por redimir vidas literarias y desmitificarlas, no hace otra cosa que jugar con la enfermedad y la muerte. Me tiro o no me tiro es como si dijera antes de sacar a flote o hundir en el vacío una palabra.

¿Por qué no casarlos? Si las vidas del escritor y la lectora coinciden y aparecen como paralelas, por qué no casar a la lectora con el escritor que ha sobrevivido a varios intentos de suicidio. Para la lectora sería un consuelo amar a los escritores que amaron la literatura y dejar, a cambio, de amar la literatura. Se merecería un matrimonio con un escritor que ambicionara la literatura por encima de cualquier cosa, por encima incluso de su propio matrimonio. Un Einstein de literatura enamorado de la literatura, sin ir más lejos.

La lectora ve con buenos ojos ceder unos años de su vida a la única persona con la que sería capaz de compartir varios años de su vida. Se trata, en realidad, del único hombre con el cual podría haberse casado la hija de Franz Kafka, lectora, sin perder su condición de lectora. Nos referimos al escritor que más le habría fastidiado a Franz Kafka como marido de su hija. El hombre aquel con el cual la lectora habría matado al padre, o soñado que mataba al padre, en caso de que éste se hubiera opuesto al matrimonio. De casarse, la lectora sólo habría podido hacerlo con James Joyce, el escritor que manipula las palabras, y esto, precisamente, porque James Joyce, el escritor, es todo lo opuesto a Franz Kafka, el escritor, y padre a la vez de la lectora. Y pocas cosas pueden excitar tanto a la lectora como el hecho de estar unida al escritor que ha repudiado y denigrado su país de origen. Es una afinidad secreta que guarda con James Joyce, el escritor que estuvo a punto de lanzarse al vacío por una absurda frustración literaria y que la lectora salvó accidentalmente de la muerte. ¿Qué habría pasado si la lectora, en lugar de estar leyendo la biografía de James Joyce, estuviera leyendo la del escritor Louis Althusser, más famoso y celebrado por perpetrar el asesinato de su esposa que por sus libros innecesarios?

Ahora sucede que el escritor Joyce ya no piensa en el suicidio como una posibilidad inmediata. Seguro de su talento literario, ocupa su tiempo en reflexionar sobre la estrategia para lograr ser el primer escritor y el último de la gran literatura. Investiga sobre el modo de derrotar a un supuesto competidor que dice llamarse Kafka. Entre tanto no cesa de mascullar y repetir una y mil veces las frases de aquella novela que lo convertirá en el gran escritor de la gran literatura.

La esposa del artista

AL PRINCIPIO de estar juntos, la lectora no tenía intención alguna de convertirse en estudiosa de James Joyce por mucho que Joyce fuera su amante esposo. De Joyce le cautivaba su devoción festiva y empresarial por la causa literaria. Era uno de los últimos héroes puros, si no el último, de las letras puras. A los seguidores de Joyce les parecerá raro, cuando no una falta de respeto histórico, que su ídolo se casara con una mujer lectora (con todo lo que implica de narradora una lectora pura) que sólo tenía en común con Nora Barnacle el cabello castaño y la «r» de Nora y lectora. Pero de un hombre apasionado por las letras puras puede también esperarse su unión sentimental con la lectora.

A diferencia de otros seres, los auténticos escritores se enamoran (cuando se enamoran) por necesidades derivadas de la novela que escriben. De la misma manera, los sentimientos de la lectora evolucionarán en consonancia con las necesidades de la novela que lee. A la escritora de obra hueca le convenía enamorarse del escritor Joyce, dado que éste era el único personaje que la ayudaría a escapar de la esfera paterna y a transformarse en la escritora que no es tal, en la que finalmente se convertiría.

La lectora fue la primera en descubrirlo. Nada más verlo, lo reconoció como el hombre que estuvo a punto de perder la vida en su reiterativo intento de suicidio. El escritor puro sabe obedecer a un cierto tipo de señales y aquel día de nuestro primer encuentro —cuenta la lectora— coincidía con el 16 de junio. Y en ese día mágico allí estaba yo para convencer a Joyce de que la lectora era *perfectamente sana totalmente amoral fertilizable indigna de confianza seductora sagaz limitada prudente indiferente*... En suma, lo más parecido a un caballo. La lectora, según Joyce, caminaba como una yegua y nada podía atraerle más de las mujeres que caminaran como yeguas y ésta era la única mujer que había visto caminar como una yegua de entre todas las yeguas-mujer que había perseguido. Mientras la aprendiz de escritora confiaba a Joyce sus sueños de escritora, el escritor decía para sus adentros que esta mujer siempre sería más yegua que escritora y que sabría salvaguardarlo de todos los inconvenientes propios de una pareja de escritores. Con el escritor y la lectora no sucedería lo que con la pareja mítica Beauvoir-Sartre en la que la escritora se cuidaba bien de esterilizar el potencial literario de Sartre, así como el pensador se encargaba de disminuir el talento, sin duda filosófico, de su compañera. Sin el amor competitivo del Castor (apodo con el cual Sartre llamaba a su compañera Simone), Sartre habría podido ser el creador de la palabra en lugar de ocupar el asiento del primer bufón de la filosofía. Sin el ajetreo amoroso y calculador del compañero Sartre, la Beauvoir habría podido pasar a la historia como una de las pocas filósofas de su especie. Y debido a esa desarmonía artística, los lectores quedamos asfixiados ante novelas que parecen biografías (la Beauvoir) y ensayos con complejo de novelas (Sartre). De ser tanta la insistencia por gustar al otro, uno termina convirtiéndose en lo mejor del otro a la vez que, actuando de ese modo, cada cual da al traste con sus mejores cualidades personales.

Visto el ejemplo, ¿en qué cosa acabaría yo?, ¿terminaría siendo un escritor o un caballo?

Joyce provocaba verdaderas tormentas de palabras, un alud de verborrea. Todas las paredes de la casa aparecían cubiertas de arriba abajo con palabras en forma de poemas, versos obscenos, bromas cariñosas y lingüísticas, juegos de letras, acertijos amorosos escritos sobre cuartillas, en rollos de papel higiénico y servilletas sintéticas. La mejor manera de convertir a la lectora en la mujer de Joyce fue asediándola con sus discursos. En las reuniones de artistas, en las que los artistas hablan para demostrar, a otros artistas como ellos, que son artistas, me comportaba como la mujer de Joyce que apenas si dice una palabra. Me sentía bien en mi silencio mientras era la mujer de Joyce. Luego, poco a poco, tuve que dejar de ser la mujer de Joyce para transformarme en la esposa del artista, lo cual es el no va más para algunas mujeres encantadas de ser las compañeras y amantes de grandes escritores, grandes músicos, grandes pintores... Es alarmante, a la vez que admirable, la nueva profesión llamada «esposa de artista», cuyo significado dista mucho de parecerse a lo que antes se entendía por «musa de artista», que era a lo que más se podía aspirar antiguamente si eras compañera de artista. A aparecer, ya fuera de forma descarada u oculta, en los textos, partituras, lienzos del artista..., y quedar para la posteridad como su musa espiritual. Tan distinto fue aquel papel casi divino otorgado a la musa del artista de lo que en la actualidad lleva a cabo la esposa de artista, convertida, cuando menos, en la fuente económica y ganancial del artista al cumplir maravillosamente con las funciones muy determinadas y estipuladas por la asociación de auténticas esposas de artistas. En primer lugar, cuida de que respeten al artista y para tal fin consigue intimar amistosamente con el agente del artista de manera que acaba convenciéndolo de que forma parte del matrimonio del artista. La esposa del artista acompaña a su marido a donde quiera que el artista vaya, tal como en verdad yo solía hacer con Joyce a regañadientes, lo que es una ofensa para el club de fans-esposas de artistas. Mi cara acostumbraba ser la cara de la esposa aburrida y me convertía en un cromo o pantomima de lo que debe ser una verdadera esposa de artista. Ella siempre es amable, en ocasiones algo distante pero complaciente. Es siempre más sociable que el mismo artista y algo antipática y cascarrabias como debe ser toda esposa de artista que se respete, de modo que el papel de pobre víctima y bondadosa persona le corresponda al artista. Ella siempre es accesible, al contrario de su esposo artista que tanto trabajo tiene, encerrado en su estudio todo el día. Es sabido que los artistas son cebos de honor para señoras y jovencitas deseosas de amante-artista. La esposa de artista sabe que no existe mejor manera de proteger a su marido-artista de la amenaza de infidelidad conyugal que la de acompañarlo siempre. He sido esposa de artista aunque jamás me comporté, Dios me libre, como auténtica esposa de artista, a pesar de todos los inconvenientes que arrastre el rechazar tal oportunidad cuando eres la mujer del artista llamado Joyce, el escritor. En un solo aspecto sí puede decirse que he cumplido con el deber de esposa de artista; en el sentido práctico del asunto he sido una buena administradora de los paupérrimos bienes que le quedaban al artista después de emborracharse y váyase a saber lo que hacía Joyce con el dinero. Nunca me ha escocido el dinero en las manos ni he tenido con el dinero esa relación de odio y despilfarro propia del poeta siempre rodeado de acreedores o perseguido por amigas que se cobran sus servicios. Y un artista que mantiene esa relación enfermiza con el dinero sabe que la mejor solución es dejar a la esposa que administre el miserable dinero. Una esposa que no tuviera problemas con el dinero era algo básico para la supervivencia del poeta y Joyce estaba dispuesto a aceptar a una escritora como esposa (pese a que este dato no aparecía en ninguna parte de su guión autobiográfico) si la tal escritora se ocupaba de la intendencia doméstica, como bien parecía capaz de hacerlo una ex camarera de restaurante. Ella sabría cuidar de la administración del genio. Para ser genio no hay mejor receta que la de creerse genio y hacérselo creer a un inmenso público que será el que convencerá a los amigos-genios de la existencia de otro genio. Porque, en definitiva, son los amigos de uno quienes deciden quién es genio y quién no tiene madera de genio. El genio, llámese pintor, músico o escritor, es antes que genio un actorazo de primera categoría.

No se debe a un hecho casual el que la mayoría de los genios conocidos hayan tenido alguna relación con el teatro. Son actores fracasados que saben cómo potenciar al máximo su segunda vocación de escritores, pintores o vaya uno a saber. Y los genios, para hacer honor a su atributo, se creen a la perfección su personaje en cada ocasión que lo interpretan. Sueltan algunas de sus frases estrambóticas en lugares, incluso, donde hasta el genio tiene prohibido murmurar una palabra. A lo mejor gritan sin ton ni son en plena representación de una ópera u obra de teatro. A veces, tampoco es cuestión de hacerse el loco para convencer a los demás de que se es un genio. El genio es capaz de engañar a diestra y siniestra y sin reparos, a todos menos a su esposa. Las esposas son imprescindibles para la creación del genio. De ahí que los hombres geniales acostumbren tener esposas y procuren conservarlas. No sea que después una ex esposa se vaya de la lengua y cuente la otra cara del artista considerado genio. Así la Beauvoir, con la publicación de su último libro, salpicó de normalidad el genio de su paciente compañero Sartre, y adiós al genio de Sartre. Los genios no sólo precisan de excelentes biógrafos, sino también de buenas y comprensivas amantes. El artista, por muy artista que sea, necesita de una esposa para descansar a ratos de su papel de genio, cuando no para vampirizar directamente la genialidad de ella y ser él quien pase a la historia como genio. Mileva Einstein −sin ir más lejos− fue la autora de los primeros trabajos que hicieron famoso a su marido, incluyendo en ellos la tan preciada teoría de la relatividad. Y, sin embargo, Mileva ex Einstein, que no supo ser la esposa de artista, aun supo menos asumir su propio genio. Como ama de casa, papel al que la relegó su astuto esposo, fue un desastre. Destinada a genio no fue lo suficientemente brillante como para mantener sus derechos a la genialidad histórica. El arquetipo de genio (que me perdonen) no fue más que una esponja de la sabiduría de su esposa. Es por tanto lógico que la esposa de artista no crea ni una palabra sobre la supuesta genialidad de su marido-artista. Pero ha de conseguir imaginarlo. Mileva ex Einstein no lo hizo y se murió de pena. La verdadera esposa de artista termina creyéndose el genio del marido. Mileva ex Einstein no lo hizo y se murió en la sombra cediendo sus laureles al marido. Todo de ser cierto lo que cuentan los últimos biógrafos de la ex esposa Einstein.

La esposa del genio se convierte en la primera admiradora del talento superdotado del marido. Y es entonces cuando ya no se sabe si el artista actúa para su esposa o para su público. Pero si el fuego de su genialidad se muestra alentado por el aplauso de su mujer, el artista va perdido. Poco a poco, merman las posibilidades artísticas del artista-marido y se va convirtiendo en el bufón principal de la *comedia dell'arte* de su siglo. Claro que el público-público no llega a apreciar esas sutilezas que sólo registra, siglos después, la imprudente historia. Ahora bien, si la esposa del artista descree por completo de las cualidades de hombre genial con las que se presenta al marido, pero es una buena administradora de su mínima economía (cosa que estuvo lejos de hacer Mileva), colabora, tal fue mi caso, en la genialidad del marido-artista. Éste se esforzará lo indecible por convencer a su esposa de la existencia de un genial esposo. Y, en verdad, hasta es posible que lo sea y todo gracias a la actuación sensata de la esposa indiferente.

La esposa indiferente no debe molestarse siquiera en leer las obras publicadas del esposo-genio. Y con menos razón debe exigírsele que lea su letra manuscrita. La letra de imprenta mejora tanto la buena como la mala literatura que, impresa, parece menos mala y el autor malo se queda satisfecho, al fin, de haber publicado un texto de aspecto clásico y honorable. La escritura mecanografiada, y no digamos la manuscrita, para ser legible, debe ser de creador auténtico, textos que se sostengan por sí solos a fin de poder soportar su lectura incómoda y movediza como garfio de pirata. Pero ni tan siquiera cuando las obras de Joyce se presentaban en forma de libro impreso, la esposa indiferente que era yo encontraba el momento para leerlas, tan ocupada estaba con mis propios libros y manuscritos. Prefería leer sus cartas, sus poemas, que, cuando menos, me iban directamente destinados. Supongo que ése fue el motivo de que sus poemas, o muchos de ellos, pecasen de demasiado enigmáticos. O, por el contrario, claros en exceso. Me gustaban sus cartas. Sería muy capaz de dejar a un hombre que no tuviera la delicadeza de escribirme una sola carta. Ésa sería una estupenda razón para dejar a un hombre cuando no se encuentran otras razones más convincentes.

Convertí aquel lugar que se suele entender por nuestra casa en una oficina literaria. Yo no iba a ser una segunda Mileva Einstein que, desposeída de sus talentos por su brillante marido, tampoco consiguió ser una buena ama de casa. No concebía otro modo de ser escritora que escribiendo, leyendo o conversando sobre literatura. Y Joyce era uno de mis maestros favoritos. Todo proyecto de la pareja tenía que someterse al beneplácito de la literatura. Cada proyecto de viaje en común, pues nuestra corta vida juntos la pasamos viajando siempre de un lado a otro, que es algo que suelen hacer las parejas que no tienen nada en común, estaba subordinado al modo en que pudiéramos escribir una mejor literatura.

La lectora estaba resultando una carga que un escritor puro como Joyce no podía soportar eternamente. Por lo que prefirió disfrazarme para la posteridad de vulgar, aunque graciosa, camarera de hotel que, según Joyce, es a lo máximo a que pueden aspirar las mujeres que valen algo. Ponerme el disfraz de sirvienta es lo que mejor le convenía; cometer esa ridiculez, o bien, renunciar a verme y dejar nuestro primer encuentro como un episodio sin memoria. Lo cual ya estaba considerado como un hecho imposible pues como dijo el padre de Joyce al serle comentada mi existencia: «Con un nombre como el suyo, mi hijo ya no la abandonará jamás».

Dos héroes se dan la mano

E L DESEO no confesado de cualquier hombre, incluso si se trata de un escritor enamorado, es vestir a su mujer con el disfraz de camarera. Y, llegado a este punto, poseerla. El uniforme de camarera proporciona a la favorecida un aspecto servicial, de estar siempre a disposición del apetito sexual del marido aunque tampoco a sus pies, como una esclava. Los artistas detestan a las esclavas. Y las camareras suelen tener fama de mujeres activas. Se mueven a tono con el uniforme y tienen el derecho a entrar en la habitación de uno a cualquier hora y sin despertar sospechas. La afición secreta de James Joyce era sentarse en los vestíbulos de cualquier hotel a observar y conocer camareras. Finalmente creyó que encontraba una y se amancebó con ella.

Las camareras están enseñadas a no depender nunca de un hombre. Van a su aire. E ignoran que existan hombres que les guste depender de ellas. Ése es también el problema de aquellas mujeres a las que, sin saberlo, el delantal de camarera sienta divinamente. Los hombres se cuelgan del delantal de camarera que confunden con el de ama de cría, cuando no lo igualan al de enfermera. Entonces se vuelven insoportables. Se emborrachan, se pierden por las noches, comen con las manos sucias y descargan su mal humor en casa. Buscan, en realidad, que la mujer les pida cuentas, les eche la bronca correspondiente y termine perdonándolos en sus brazos.

Mi padre espera un marido diferente para su hija. A decir verdad, no soporta la idea de marido alguno aunque, por otro lado, comprenda que lo mejor para su hija es que disponga de marido. Resignado a disgustarle, preferiría que fuera otro. A Franz Kafka, James Joyce le parece un ser llegado de otra cultura, obsceno en su caballerosidad, de erudición brillante pero vana. Un irresponsable. Un inútil. No tiene reparos en decirme: «Si lo que más te gusta de ese hombre es su oficio de escritor, búscate otro que por lo menos pueda leerse». Pero no hay escritor en parte alguna. Y Joyce me gusta por todo aquello que tiene que me disgusta. Es un inventor de palabras. Un mago del lenguaje. «Un chapucero» insiste mi padre, que ya conoce a Joyce sin concederse la oportunidad de leerlo nunca.

¿Quién lee a Joyce? Todo el mundo se atreve a hablar de Joyce, a escribir como Joyce sin saber cómo diablos escribía Joyce. Qué escritor es ese que se atreve a fustigar al lector con cientos de frases incomprensibles. Por el contrario, Franz Kafka es un autor honesto y antes de que el lector desista de la lectura de sus novelas, por si ése fuera el caso, tiene la delicadeza de dejarlas inacabadas. Son dos formas opuestas de tratar al lector. Joyce lo odia. Kafka compadece su existencia.

Franz Kafka y James Joyce tendrán un solo encuentro en sus vidas que, por lo demás, sus biógrafos respectivos ignorarán o preferirán mantener en el silencio más absoluto. La entrevista durará apenas media hora. Para esta ocasión (pienso yo) Joyce podría reconocer en Kafka sus atributos de maestro. Pero es propio del irlandés tratar a los escritores como si fuesen agentes literarios. Y así es como piensa comportarse, aunque se trate de Franz Kafka, el padre de la lectora. Tampoco en ese caso hará excepciones.

Kafka, en la época de su obligada entrevista con James Joyce, es ya un descreído de toda actividad social relacionada con la literatura. Al decir de algunos, su negativa a participar en el mundillo literario fue la causa de su mala suerte. Pero el viejo Kafka, que considera que escribir un relato que contenga un máximo de tres frases ya es escribir demasiado, no puede estar más alejado de las ambiciones de un escritor irlandés empeñado en producir una novela de más de trescientas páginas. Lo que menos soporta de Joyce es su pretensión de novelista y su autosuficiencia al insistir en ello. Con todo, no son solamente las actitudes exhibicionistas del llamado escritor lo que le hacen detestar a ese sujeto que viene a aprovecharse de su tonta hija. Lo desprecia, además, porque es él precisamente, y no otro, el elegido como consorte.

El encuentro de Joyce y Kafka no resulta afortunado por mucho que se lo propongan lectoras o lectores cultos. De ahí que los biógrafos prefieran obviarlo en sus escritos. La lectora habría debido abstenerse de una sofisticación literaria de tal magnitud y abandonar la idea de formar una familia con esta galería de estatuas. Pero insiste en arriesgarse. Basta que un proyecto presente dificultades para que la lectora se impaciente más por llevarlo a cabo. En este punto en particular su padre tiene razón. «¿Por qué diablos no te gustarán los hombres sencillos y corrientes?».

La entrevista tiene lugar en la casa del padre de la lectora. Franz Kafka está sentado en su sillón predilecto. Simula leer cuando en realidad distrae la temible espera con su juego preferido, que consiste en ir recortando un poco, y luego otro poco más, cada una de las frases que fabrica en su memoria rancia y averiada. James Joyce, acompañado de la lectora, entra en la habitación en donde descansa el maestro. Hace una tarde fría. El visitante se ha puesto su capa negra de *dandy* y el sombrero de la bohemia parisiense con el que tanto encandiló a sus vecinos de Dublín la última vez que puso los pies en aquella ciudad provinciana. El viejo Kafka no se ha quitado la corbata ni tampoco la chaqueta, de hombros tan estrechos, con las que habitualmente aparece en las fotografías. Saluda a Joyce con la mano y le ofrece asiento. La lectora está impaciente por escuchar la conversación que mantendrán para ella sola estos últimos héroes de las letras puras. Por el momento, cuesta que arranquen a hablar. Afuera silban pájaros.

–¿Así que usted, señor Joyce, es un irlandés católico? –pregunta Franz Kafka tratando sólo de ser amable.

Entre tanto, Joyce está pensando en cómo puede ser amable un judío sin dejar de ser irónico.

Joyce permanece sentado en su postura clásica: las piernas cruzadas y el dedo gordo del pie superior sobre el empeine del otro. Ha concentrado su mirada en la pata derecha de la mesa más cercana que tiene delante. Silencio largo, se dispone a responder a su interlocutor con otra pregunta de similar trascendencia. Levanta los ojos del suelo, los dirige al infinito y dice:

–¿Cómo pudo un idealista como Hume escribir historia?

A Kafka le gustan los silencios. Y lo mismo le ocurre a

Joyce. A partir de ahí, la conversación consiste en un intercambio de silencios tristes. Kafka está triste por su hija. A Joyce le entristece ser solamente él mismo y no tener ningún deseo de ser otro.

–...

–...

–...

–...

La lectora ya se ha dado cuenta del poco jugo que ella, como narradora, podrá sacar del encuentro. Los héroes puros de la historia saben guardar las formas, tanto más cuando se encuentran dentro de una historia alcahueta que todo lo sabe y todo lo repite.

Al poco rato, Joyce, si cabe, más hablador que Kafka, notifica a su anfitrión la siguiente advertencia:

–El único filósofo aficionado que valga algo, de los que yo conozco, es Carducci.

Según Richard Ellmann, renombrado biógrafo de Joyce, Edgardo Carducci, sobrino y nieto del poeta, puso música al poema *Alone* (Solo) de Joyce. Con esa sentencia, el irlandés inaugura la técnica del autobombo que a partir de esta ocasión llegará a su cumbre y alcanzará un inconcebible éxito entre los intelectuales del siglo veinte.

–...

–...

–...

Transcurrido cierto tiempo, mientras Kafka duerme o se hace el dormido, prosigue Joyce:

–Para mí sólo hay una alternativa frente al escolasticismo: el escepticismo.

El modo que tiene Kafka anciano de ser religioso es no hablar de religiones ni de escuelas filosóficas.

La lectora desea ofrecer una copa a Joyce, pero en los momentos en que Joyce se ve forzado a parecer otro es propio de él rechazar cualquier tipo de bebida. Rehúsa beber cuando es la circunstancia y no su personal placer lo que lo empuja a emborracharse. Él, que es un bebedor empedernido, rechaza esa copa que ahora le sentaría maravillosamente.

Llegados a este punto, Kafka cree haber sobrepasado el límite de silencios acumulados para una tarde. Joyce, por su parte, nunca considera que ha llegado el momento de irse. Si por él fuera, se quedaría en cualquier lugar, con la sola excepción de Irlanda, hasta que lo echaran.

La entrevista no da más de sí. Además, la tarde amenaza con despedirse y Joyce aún no ha visto la casa en donde la lectora pasó su infancia y adolescencia. Ahora le enseñará el jardín de los poemas, la verja de las lanzas, el árbol del jardinero, el desván que ardió el día del incendio y el hogar de sus quimeras.

Franz Kafka se queda solo. Olvida volver a su entretenimiento favorito de las frases que reduce a la mitad y luego a una tercera parte, y así hasta quedarse mudo. Se olvida incluso de que está solo. Va hacia el armario, elige una botella, la abre y, por primera vez en su vida, decide emborracharse.

Esa misma noche, mientras Kafka se emborracha en su casa, Joyce tiene pesadillas kafkianas.

A Kafka la cabeza le da vueltas, el labio inferior le cae hacia el lado derecho de la cara pero recuerda todavía el número de teléfono de su hija que estará acostada al lado de ese rufián con ínfulas de escritor, el cual sueña en ese preciso instante que Kafka borracho marca el número de teléfono de la lectora que precisamente está durmiendo a su lado. El timbre del teléfono despierta a la lectora, que se levanta, corre hacia él, descuelga y oye la voz de su padre que no sabe lo que dice a su hija que quisiera poder recordar lo que escucha. La lectora se abstiene de contarlo. Y Joyce, cuando despierta al fin, tampoco consigue recordar el terrible sueño que ha soñado.

Así fue como tuvo lugar ese agujero negro en la historia joyceana y un día de mal despertar en la biografía de Joyce.

La aventura de las palabras

HAY a quienes les disgustará creer que el libro preferido de Joyce fuese *El viaje alrededor de mi habitación*, del escritor Xavier De Maistre. «Otra extravagancia de James Joyce», dirán quienes sepan que como lector era caprichoso y que sus celos de escritor hacían que se mostrase indiferente con respecto a los trabajos de sus colegas contemporáneos, en especial cuando resultaban ser los autores de alguna obra que amenazaba con ser importante. De ahí que cuando se le ocurrió pontificar que el escritor Xavier De Maistre era alguien a tener en cuenta en el mundo de las letras no lo hizo solamente para gastar una broma a la historia literaria (pues, a decir verdad, se trataba de un escritor con notables carencias y limitaciones), sino porque de sus textos mediocres había extraído alguna feliz idea. De este libro en concreto le entusiasmaban el título y la osadía del escritor De Maistre, que no titubeó en emborronar algunas páginas con un agotador relato sobre los cincuenta metros cuadrados de su dormitorio. Él mismo, sin ir más lejos, había utilizado cuatrocientas para hablarnos de un hombre que no se movía de Dublín. Y de esta empresa había salido más airoso que el escritor francés. Cuando a

Joyce le daba por defender a algún artista y considerarlo un número uno en su género, hacía cualquier cosa para conseguir que el público aceptase su criterio. Para llegar a ello, provocaba situaciones cómicas y penosas en las que parecía no darse cuenta de su caída en el ridículo. Aparentaba generosidad hacia otros artistas cuando, en realidad, sólo estaba interesado en proteger su fama de escritor. En Joyce nada era espontáneo. Su forma de actuar tan disparatada cuando pretendía imponer públicamente a un pobre artista sin talento obedecía a una estrategia oculta que no tengo reparos en descubrir ahora. Se trataba de lo siguiente:

Joyce se había convencido de que para ser considerado genio debía protagonizar algún sonado espectáculo en el que su papel fuera precisamente el de quien concede el honor del aplauso a una persona que no lo merece en absoluto. Con tal proceder distraía la mirada del público que dejaba de ocuparse de aquellas personas talentosas, las cuales, si Joyce no vigilaba, podían llegar a hacerle sombra. El truco tuvo éxito en su caso y hoy se ha extendido a tantas otras personas poderosas, que dedican su tiempo a alabar y bendecir públicamente a personajes grises y del todo incapacitados para sobresalir en su oficio. Con este proceder no hay duda de que aquéllos reafirman su poder y se vuelven, si cabe, más poderosos.

Podría contar cientos de anécdotas sobre la actuación de Joyce como hermano caritativo de las artes. Me limitaré a explicar la que tiene relación con la novela de Edouard Dujardin, *Les lauriers sont coupés*, que él consideraba como una gran novela de vanguardia escrita por un singular maestro. Fue su mejor ardid para ocultar la influencia de Freud y Jung en su estilo, ésos sí auténticos maestros a los cuales Joyce debía tantas cosas que hizo lo posible para que nadie las descubriera nunca.

La anécdota que voy a referir seguidamente tuvo su origen en la sala de lectura de una conocida biblioteca.

A Joyce y a mí nos gustaba ir a leer a la Bibliothèque Sainte Geneviève. Aunque compartíamos esa afición, solíamos ir por separado. «La lectura es un trabajo en solitario», le gustaba decir mientras pudo leer sin mi ayuda o la ayuda de cualquiera de su corte de secretarios. En mi caso, la lectura era una reivindicación de la soledad y el hecho de saberme acompañada cuando me disponía a abrir un libro convertía ese acto tan íntimo en un acto social muy poco agradable. Así que Joyce y yo llegábamos a la biblioteca y nos sentábamos por separado como dos desconocidos. Ni siquiera el bibliotecario observador y quisquilloso, réplica exacta de Marcel Proust o quién sabe si Marcel Proust en persona, era capaz de relacionarnos.

Joyce y yo ocupábamos mesas distantes pero siempre al lado de los grandes ventanales donde la luz de París nos inundaba con esa transparencia de inmortalidad limitada. Allí, por ejemplo, tuve la posibilidad de discutir con Virginia Woolf sobre su ingeniosa idea de si Shakespeare habría sido el mismo Shakespeare con el sexo de su hermana. Por su parte, Joyce también fomentaba nuevas relaciones. Entabló amistad con su vecino de mesa, un siamés llamado René-Ulysse con el que acordó ir a Tours a escuchar a un famoso tenor que iba a cantar en la catedral. Fue precisamente en este viaje en tren a Tours donde, en un quiosco de la estación, Joyce compró casualmente el libro de Edouard Dujardin titulado *Les lauriers sont coupés.* La lectura de ese libro le impresionó sobremanera.

A propósito del mismo, me comentó después:

—El lector de esta novela se encuentra instalado, desde las primeras líneas, en el pensamiento del personaje principal y el desarrollo ininterrumpido de ese pensamiento, al sustituir la forma corriente de narración, nos da lo que el personaje hace o lo que ocurre.

¿Sabía Joyce que en ese mismo instante acababa de descubrir la técnica del monólogo interior que lo haría tan famoso? La descripción que, entonces, me hizo de esa nueva técnica fue bastante torpe, lo cual preconizaba que la técnica estaba ya en él y que su creación desbancaría a todos los precursores. Joyce era consciente de que la novela de Dujardin era detestable, pero sabía también que iba a robar a un autor la idea del monólogo interior que utilizaría en el último capítulo del *Ulysses,* cuando Molly (es decir Nora, es decir, yo) da rienda suelta a todas las estupideces que se le ocurren.

. Cuando los críticos insistían en que Joyce había utilizado la llamada técnica del monólogo interior por la influencia de Freud o gracias a la lectura de Poe, Dostoievski, Browning..., él afirmaba que el origen estaba en la novela de Dujardin. Y no contento con llevarles la contraria, luchaba por convertir a Dujardin en el fundador de la nueva literatura. Para este fin, sobornó a varios críticos prestigiosos y el anciano Dujardin gozó del poder y la gloria por cierto tiempo. Nunca supo que, a cambio de esas pequeñeces a su favor, Joyce disfrutaría de la garantía y gloria de ser el último escritor revolucionario de la historia.

Pero por encima de esas jugarretas lo que más divertía

a Joyce era contradecir a los críticos. Eligió al preferido del momento, al de más solera, Valéry Larbaud, y no cesó hasta convencerlo de que Edouard Dujardin era el auténtico creador del método revolucionario del siglo en literatura y, por tanto, era él quien se merecía los honores del descubrimiento. Una vez convencido del todo, Larbaud dedicó la mitad de su vida a persuadir a sus incrédulos compañeros de la crítica de la veracidad de la opinión de Joyce. Y quien, a decir verdad, se lo creyó por completo fue el propio *Maître* Dujardin que en 1931 publicó el libro titulado *Le Monologue intérieur* en el que desarrollaba profusamente el tema sin, por supuesto, citar a Joyce.

Joyce jamás perdonó a Dujardin esa descortesía.

Kafka no existe

DE AQUEL poco agraciado encuentro entre Kafka y Joyce siempre he conservado la duda de si fueron exactamente ellos quienes se avinieron a conocerse o fueron otros. Teniendo en consideración el despiste de mi padre y la maledicencia de Joyce, habrían podido darse a conocer el uno al otro a través de sus respectivos dobles. Al lector poco le importa si fueron realmente Kafka y Joyce quienes se vieron y saludaron o lo hicieron sus suplantadores. Lo que cuenta es que fueron ellos quienes se dieron la mano y no unos parientes lejanos de ambos que, dada la circunstancia de llamarse Kafka y Joyce, deciden presentarse.

El escritor no soporta que lo confundan con cualquier pobre infeliz que lleve su mismo nombre. Habría sido un atropello imperdonable que el gran Joyce, al serle presentado el maestro Kafka, lo hubiera asaltado con la siguiente pregunta:

—¿No será usted pariente de una tal Irene Kafka, traductora de oficio?

O peor aún:

—¿Tengo el gusto de conocer al Kafka traductor de los relatos que publica la *Frankfurter Zeitung*?

Joyce, por discreto y caballeroso que fuera, cuando surgía un conflicto de vanidad entre candidatos, era muy capaz de cometer ese tipo de torpezas. Se envolvía de pésimo mal humor ante algunos comentarios que insistían en ver a Franz Kafka como el nuevo candidato de la primera fila de la literatura. Es decir, el escritor destinado a ocupar el lugar que Joyce creía haber conseguido para él. Y es muy seguro que se habría atrevido a atacar a mi padre con tan impertinentes preguntas de no haberlo prevenido antes de que, en tal caso, yo no tendría otra salida que la de contar a Kafka la verdad de lo ocurrido con la *Frankfurter Zeitung*. Y al hacerlo, la humanidad se haría eco y portavoz de la historia pues nada de lo que suceda a Franz Kafka puede pasar inadvertido a sus biógrafos aunque mantengan un pacto de callarlo. Mi advertencia surtió efecto. Joyce estaba dispuesto a hacer cualquier cosa para que el mundo sepultase de una vez por todas la existencia de aquel segundo escritor llamado James Joyce que tuvo la ocurrencia de publicar un relato titulado *Vielleicht ein Traum* en la *Frankfurter Zeitung*. Pero el mundo es injusto y si de algo no se olvida es de los errores históricos. Y aquél que traía la aparición de un segundo James Joyce en la prensa diaria fue un error histórico imperdonable.

Sucedió que llegó a sus manos el tal relato encabezado con su nombre. En un principio, se excitó con la idea de que, del mismo modo que había aparecido uno, podían surgir múltiples James Joyce, todos escritores. La idea era divertida y contribuiría a aumentar su fama. ¿No era él acaso el primero y mejor de todos ellos? Pero cuando pocos días después la *Frankfurter Zeitung* se retractó de la errata con otro artículo titulado *Michael and James* que minimizaba lo ocurrido, se le encendió el alma. La presunción de que otro escritor tuviese la osadía de llamarse Joyce lo encolerizó al punto de llevar el caso a los tribunales. Suponía que el periódico alemán había inventado un segundo Joyce a fin de desacreditar al primero y suponía mal. Ocurrió sencillamente que Irene Kafka, la traductora de uno y otro Joyce (aquélla precisamente con la que Joyce habría querido herir a mi padre), había confundido a los dos hermanos de pluma y de forma accidental había cambiado sus nombres de pila.

Para horror de Joyce existía entonces un tal Michael Joyce, escritor, que tenía toda la intención de persistir en su oficio. Su lucha, ahora, ya no consistiría en ser el primero y el único sino en conseguir ser el auténtico.

Puesto a Franz Kafka sobre aviso de mi parte, a la pregunta impertinente de Joyce sobre si Frank Kafka era tío o primo de una tal Irene Kafka, costurera de oficio, Kafka le habría contestado con la duda de si quien tenía delante era nada menos que Michael Joyce, el escritor de la *Frankfurter Zeitung*. Gracias a mis precauciones, esta situación desagradable entre los dos escritores nunca llegó a producirse. No conseguí evitar, sin embargo, que el nombre de Kafka trajera a Joyce malos recuerdos. Por una parte, lo asociaba inmediatamente con la traductora del escritor apócrifo, y por otra, lo avisaba sobre la existencia de otro candidato a ocupar el lugar de las letras universales. Joyce consiguió deshacerse de su impostor de la mejor forma posible. A fin de que ningún personaje homónimo o heterónimo pudiese hacerle sombra, decidió terminar para siempre con los personajes de sus obras. No quería reproducciones de su persona. Ni siquiera los personajes que creaba. Quería ser el Único. Así en *Finnegan's*

Wake, su último libro, lo único que cuenta es la obra joyceana y lo que ella representa. El personaje no existe en esta novela, que para Joyce siempre fue una forma de decirse y de decir al mundo: Kafka no existe.

Ante la desgracia de tener que competir siempre con héroes reales o imaginarios, Kafka llevó la competitividad al extremo de que ninguna competitividad fuese posible. Hizo prometer a su amigo Max Brod que se ocuparía de quemar todos sus libros y manuscritos. La petición ocultaba la siguiente orden: Kafka no existe. Y con esto dicho, acababa él también de ganar la batalla a la literatura.

Historia de una amistad

E L INDUSTRIAL italiano Ettore Schmitz, cuyo nombre de letras fue Italo Svevo, conoció a su profesor de inglés llamado James Joyce gracias a las clases particulares que éste le daba en el despacho del empresario-escritor.

Otro error de la chismografía literaria ha consistido en dar por supuesto que Ettore y Joyce fuesen amigos. Entre ellos hubo un pacto literario. Un compromiso si cabe más serio y más profundo que el intercambio de sentimientos afectivos. Svevo debe a Joyce su vida como escritor, y puesto que era un escritor notable, Joyce le concedió la gracia de hablar sobre Svevo lo menos posible. De ese modo, en lugar de hundir a su colega, consiguió eternizarlo. A cambio, lo utilizó junto con su esposa para crear sus dos obras esenciales.

Joyce comenzó a interesarse por su alumno, el doctor Schmitz, y la vida de Schmitz, a raíz del instante en que conoció a su esposa Livia Veneziani. Nótese la importancia del nombre como detalle supremo de las mujeres que podían interesarle. Si Molly Bloom era la mujer de su vida, Livia Veneziani de Schmitz fue la Molly Bloom de sus sueños. Ocurrió que nada más ver la cabellera aleonada de la señora Schmitz, a Joyce le dio por transformar el vulgar personaje de Molly en el distinguido y fino de Anna Livia Plurabelle, musa de su libro *Finnegan's Wake*.

Debí encargarme a tiempo de que eso no ocurriese y la manera de hacerlo consistió en acentuar poco a poco los defectos de la señora Schmitz que, por otra parte, tenía bastantes. Mi astucia consistía en descalificarla a sus ojos breve y puntualmente. Molly Bloom, es decir, la esencia en la que había basado su personaje, es decir: yo, me sentía dispuesta a competir con la gran fuente inspiradora de la obra de Joyce que era Irlanda, pero nunca con otra mujer que además se llamara Livia Veneziani. Y así fue como finalmente, y por lo que a *Finnegan's Wake* se refiere, Joyce cambió a Livia por Irlanda. Con eso me sentí aliviada. Por mucho que detestase a Irlanda, la prefería a Livia que finalmente era una mujer.

Joyce lo absorbe todo. Como no pudo robar la esposa de Svevo, tomó de Svevo su método narrativo. Copió de él su particular forma de autorredimirse a través del humor, después, claro está, de haber hecho suya la musa literaria de su alumno. Se dirá que, si tanto le gustaba Livia, habría debido seducirla, pero Joyce siempre fue un hombre interesado. No quería otra esposa, tampoco buscaba un amigo, y todavía menos perseguía una amante. Tan sólo quería abastecerse de un protagonista. Su fama de vampiro de almas era tan merecida, que muchos falsos amigos se le acercaban para que los inmortalizara en sus textos. Y había otros amigos que por el mismo motivo se apartaban. Dejaban de verlo, no fuera que salieran despedazados en algunos de los capítulos de ese escritor rencoroso. Y no han faltado los enemigos más farisaicos de Joyce, en su mayoría escritores de medio pelo, que despotricaban públicamente contra su persona y su obra con la única finalidad de obtener, a través de las injurias impresas, la correspondiente fama literaria. Estaban dispuestos a cualquier cosa con tal de que se les permitiese entrar en la historia de las letras aunque fuera como especímenes de hombres grises y traidores a Joyce.

Es claro que ni Ettore ni Livia fueron amigos de ese tipo. Joyce los supo utilizar literariamente con tal maestría que ni ellos mismos pudieron darse cuenta. O lo fingieron, puesto que no cesaban de admirarlo en cuanto que maestro y héroe consagrado a la gloria literaria. Le exigían pruebas de amistad constantes sin saber que ya les había regalado lo más importante que podía darles.

Yo sentía verdadero afecto y simpatía por el señor triestino, pero me resultaba insoportable su esposa Livia, que en la jerga familiar llamábamos la *Signora*. Es frecuente que hombres de apariencia ordinaria se conviertan en grandes hombres nada más que por simple contraste con la malignidad de sus esposas. Tratados como marionetas humanas, silencian su desgracia y la subliman. Estos hombres sencillos y generosos, como era el caso del *dottore* Schmitz, son los únicos capaces de aguantar a las esposas cascarrabias y malhumoradas que suelen acompañarlos. La *Signora* era esa clase de mujer que vive siempre en guardia y al acecho de que alguna interesada viniese a apoderarse del marido. Así, alababa todo lo que podía a Joyce y hacía lo imposible por ignorarme. Es algo muy propio de Livias frustradas y envidiosas actuar en público con una simpatía fingida y desaforada hacia las personas que más detestan por ser éstas las preferidas de sus amigos favoritos. Muy propio de Livia fue interrumpir mi discurso la única vez que cometí la torpeza de cenar en su casa. Lo hizo con elegancia, lo que acentuó sobremanera su grosería. Disfrazaba sus comentarios negativos a todas mis opiniones con una sonrisa tan falsa como desalmada. Y luego estaban sus aires de suficiencia que iban todavía más allá de la mujer que se cree bella y exige que toda persona a su alrededor la ame y glorifique permanentemente. Su belleza duró poco tiempo. Envejeció pronto.

Joyce, cuando estaba con la *Signora*, tras sus muestras de alta galantería para con ella, tomaba apuntes. En lo que a mí respecta, decidí dejar de verla, pese a que esta actitud suponía dejar también de ver al amable Ettore. La muy arpía imaginó que era Joyce quien prefería ir a casa de los Schmitz sin mi compañía, como también supuso que el profesor de inglés precisaba del afecto latino que ellos decían profesarle cuando, en realidad, iba a su casa para realizar bocetos de los protagonistas principales de sus libros. Por supuesto, el afecto que tanto sacaba a relucir la *Signora* Schmitz no era tal afecto. Su interés en seducir a mi marido venía dado por el único motivo de molestar a la señora Joyce. Y nadie, ni Joyce mismo, logró convencerme de lo contrario. Claro que a Joyce no le hablé de esas triquiñuelas. Le comenté solamente que aquélla era la última noche que pisaba la casa de los Schmitz. Y cumplí mi palabra. Joyce no sólo comprendió mi actitud. Tiempo después le dijo a su hermano Stanislaus que sus relaciones con los Schmitz habían sido siempre muy formales y que sus visitas a la casa, incluida la última vez que fue conmigo, habían sido siempre como profesor de inglés, nunca como invitado. Según Joyce, la famosa noche en casa de los Schmitz, la anfitriona se ocupó de hacerme saber que no era bien recibida en aquella casa. Mi amor propio y mi tremendo sentido práctico para las cosas le dieron la razón. Quien, sin embargo, no tuvo nunca el orgullo suficiente para dejar a la *Signora*, cuando era tan manifiesta la afición que ésta le profesaba a Joyce, fue el señor Schmitz. Prefirió morir como un héroe más de sus historias. Permitió que fuese el destino quien actuara por su cuenta y riesgo, lo que en su caso significó dejar las manos libres a Livia Veneziani para que se ocupase de configurar la imagen bondadosa de la pobre *Signora* Svevo.

La desgraciada muerte de Svevo.

Cuando tuvimos noticia de ella nos negábamos a creerlo; probablemente porque estábamos seguros de que era inevitable. Al principio, Joyce pensó en un suicidio. Recuerdo que su primer comentario a poco de saber la precipitada muerte de Svevo fue el siguiente:

—No sé por qué, pero cuando se trata de judíos siempre sospecho que hay suicidio de por medio, aunque en este caso no hay motivos, ya que al desdichado Schmitz le había llegado la fama justo ahora.

—Querido James —le respondí a mi vez—, lo veo muy propio de ti pensar que el fracaso literario es el único motivo para que un escritor se atreva a suicidarse. Y por esta vez no voy a ser yo quien te lleve la contraria.

Joyce tenía la mala costumbre de colocarse en la situación de sus amigos o sus personajes literarios. No por nada eran éstos sus amigos o éstos sus protagonistas. Porque eran como él o, cuando menos, pretendían llegar a serlo.

Que Svevo había muerto a causa de un accidente de automóvil en seguida lo supimos con la más absoluta certeza, pero también aprendimos que el suceso se había dado en circunstancias muy extrañas y en las que se encontraba inmersa, de un modo poco esclarecedor, su esposa.

—Te dije, James, que la *Signora* quería desembarazarse de su marido. No me extrañaría nada que ahora se dedique a perseguirte mediante cartitas y otras notas italianas.

Joyce opinó que mi versión era truculenta en exceso. Se quedó con la idea de que su alumno había muerto víctima de un accidente casual. Descartó de inmediato su primer argumento sobre el posible suicidio de su amigo, puesto que iba en contra de sus intereses personales y literarios. La muerte de Svevo tenía poquísima importancia para Joyce, ya que no añadía nada a la vida de Leopold Bloom, su héroe predilecto.

—Un escritor que se suicida en pleno estrellato de su carrera (de la cual él se sentía responsable) no merece ser llamado escritor —apostilló después. Y con estas palabras descartó para siempre su sospecha de suicidio.

Pero yo tuve que insistir:

—James, querido, no te das cuenta de que la auténtica o más verosímil versión de los hechos que terminaron con la vida del señor Schmitz conviene muchísimo más a la historia de tu personaje que la que tú decides inventar para tranquilizarte. Aquí, y sin habértelo propuesto, tienes un final de esos que te gusta.

Palabras perdidas. En lugar de ir dirigidas a Joyce creo que las dije para mí misma. Una historia de la familia Svevo, en la que Livia tuviera el papel de asesina de su marido escritor con objeto de ir a la caza y captura de otro marido escritor, sería el argumento elegido para formar parte de una novela escrita por la esposa de Joyce, la lectora, pero nunca por Joyce mismo.

Acerté, sin embargo, cuando intuí que poco después de

la muerte de Svevo, la *Signora* no descansaría en su empeño de mandar al pobre Joyce un recado tras otro para pedirle cualquier cosa. A los pocos meses de la muerte de su marido, y ante la publicación inminente de *La conciencia de Zeno*, pidió a Joyce que le escribiese el prefacio del libro en lengua inglesa.

La contestación epistolar de Joyce a la carta de la *Signora* fue rápida y contundente:

«Querida Signora Schmitz:

Respecto a su interés porque escriba el prefacio de *La conciencia de Zeno*, sólo se me ocurre como idea para atraer al público lector inglés que lleve un prefacio con las opiniones de dos personalidades merecidamente populares de la actualidad, por ejemplo, el rector de Stiffkey y la princesa de Gales y, en la parte anterior de la sobrecubierta, un retrato en color realizado por un miembro de la Royal Academy que represente a dos jóvenes damas, una rubia y otra morena, pero ambas claramente atractivas, sentadas en una postura graciosa aunque, desde luego, decorosa, junto a una mesa en la que el libro esté colocado de modo que puedan verse el título y, bajo la imagen, tres líneas de un diálogo sencillo que podría ser, por ejemplo, así:

–Ethel: ¿Gasta mucho en cigarrillos Cyril?

–Doris: Demasiado.

–Ethel: Lo mismo pasaba con Percy (puntos suspensivos), hasta que le regalé *Zeno*.

Suyo afectísimo,

J. J.»

Con eso dicho, no hubo más recados triestinos.

Esta carta, algo escabrosa para ser enviada a una viuda reciente, no fue, con mucho, lo único que hizo Joyce para castigar debidamente la malignidad de Livia Veneziani. La inmortalizó en un libro. Sin embargo, a qué mujer le gustaría ser inmortalizada en un libro en el cual la protagonista del mismo, y que debía dar su nombre al título, no es más que un ente abstracto, una nada que, por si fuera poco, cede su protagonismo a un sinfín de disparatadas palabras. En eso se convierte, a costa de sus perversidades, Anna Livia Plurabelle: en palabras, en nada más que palabras. En *Finnegan's Wake*, la novela más vengativa de Joyce, y también la más difícil.

El otro Joyce

JOYCE era el primogénito de una familia católica irlandesa de cinco hermanos. Esta circunstancia, entre otras, le dejó la mala costumbre de tener esclavos y disponer arbitrariamente de ellos. Con más razón, cuando la irresponsabilidad de un padre alcohólico y mujeriego lo convirtió, apenas iniciada su adolescencia, en el único ser casi lúcido de aquella infeliz familia. Así fue como se adiestró –de modo admirable, por cierto– en enviar a quienquiera que fuese a hacer sus recados.

Su hermano Stanislaus fue su primer esclavo. Desde su hermano menor hasta el último de sus servidores leales, fueron desfilando por la vida de Joyce una serie de amigos que dirigía a capricho. Una particularidad común a todos ellos fue que eran o habrían querido ser escritores como el hermano que los precedía. No dudo que la proximidad del genio debía llenarlos de energía creadora. Joyce convierte en escritor todo lo que toca. Por fortuna, es un hombre tímido y solitario.

Ésta no es su única cualidad humana. Está dotado de una erudición brillante y contagiosa. Según palabras de su devoto hermano Stanislaus, también con pretensiones de escritor cuando joven, «Jim tiene el carácter de un genio».

Y escribe y rubrica dicha aseveración en un cuaderno lleno de alabanzas a su hermano mayor en el que también incluye la aclaración siguiente:

«Pero estoy convencido de que muy pocos lo amarán, a pesar de sus virtudes y su genio, y quienquiera que intercambie sentimientos con él corre el riesgo de llevar la peor parte».

Stanislaus sabía de qué hablaba cuando se confesaba en su diario, pues poco después de haber escrito estas palabras, y ante una mínima sugerencia de su hermano, nos siguió por toda Europa para ocuparse de nuestras desgracias económicas. Era voluntad de Joyce que mientras no dispusiese de otro escritor cerca, Stanislaus nos acompañara.

Las peleas entre los hermanos eran tremendas y la relación de ambos terminó tal y como Stanislaus había pronosticado en el cuaderno en el que escribía sus visiones juveniles.

El poder de seducción de Joyce imponía al seducido continuas pruebas de admiración hacia el escritor sublime. El poeta Yeats fue el primer eslabón de una cadena de personalidades de las letras dispuestas a alabar su obra y manifestarle el apoyo correspondiente. Ezra Pound, por ejemplo, elevó el genio de Joyce a la categoría no menos genial (desde su perspectiva) de un Hitler o un Mussolini. Tamaña heroicidad habría podido lastimar la gloriosa carrera de Joyce. Pero Pound estaba loco. Su tesis demencial, más que dañar a Joyce, lo beneficiaba, aunque no logró salvarlo de cierta secuela antisemita que lo disgustaba profundamente.

Ahora bien, pongamos por caso que en lugar de haber cautivado la fibra laudatoria de Yeats, Joyce hubiese despertado la envidia e hilaridad del maestro. No hay duda que la carrera de nuestro genio literario habría caminado de otro modo. Supongamos que a Yeats se le ocurre decir de su joven rival que es un agente de la CIA enmascarado de escritorzuelo rebelde y revolucionario. Es seguro que entonces Pound no sólo habría desestimado la publicación del poema de Joyce en su revista *Poetry* y rechazado su cuento en la revista *The Smart Set* sino que además se habría librado de escribir más de quinientas páginas manuscritas (entre ensayos críticos, programas radiofónicos y correspondencia), llenas de insultos y alabanzas sobre su amigo Joyce. Sin Pound tampoco habría existido Trieste, sin Trieste no habría Svevo, sin Svevo no existiría *Ulysses* y sin *Ulysses* jamás habríamos oído hablar de Sylvia Beach, su feliz benefactora. Y sin Sylvia, adiós a Larbaud, Eliot, Hemingway, Fox, Beckett y todos nosotros. ¡Cuánta literatura se ha perdido por culpa de seres mezquinos y envidiosos, y también, cuánta mala literatura se ha ganado a costa de ellos!

Es probable que sin Ezra Pound, que adoró y veneró a Joyce hasta aborrecerlo, habría existido otro Pound que, en vez de loco, podría haber sido un maestro de escuela drogadicto, decidido a dedicar su vida a resucitar a Joyce de sus cenizas. Me imagino toda la corta vida del pobre Joyce tratando él mismo y los escasos amigos dispuestos a ayudarlo de publicar de algún modo cualquier cosa. Me lo imagino malgastando sus días y sus años, y en particular, su literatura, en el intento de que algún crítico perspicaz escribiese a su favor cuando menos una breve nota laudatoria. Cuando hay fracaso, pobreza y una nube de mal humor, las novelas se resienten y, en consecuencia, nos resentimos sus lectores. El escritor, si ya de por sí tiene tendencia a quemar sus problemas en la bebida, cuando hay fracaso, bebe más y bebe peor. Me imagino, entonces, acompañando a Joyce a un centro de desintoxicación de alcohólicos anónimos. A decir verdad, me cuesta imaginar tal cosa, a no ser que el director del centro fuese un famoso escritor, director además de la correspondiente revista literaria capaz de trasladar a Joyce del anonimato alcohólico y literario a la justa fama. Me imagino el texto del *Ulysses* disperso y segmentado en varios libros publicados de forma desperdigada, editoriales de baja estofa que terminan de hundirse definitivamente instantes después de publicar la obra del inexistente genio. Me imagino Irlanda o más exactamente a los parroquianos del mundillo literario dublinés frotándose las manos de gusto ante el fracaso de su compatriota. «Eso le pasa −se dirán− por renegar de su idioma, de su país, de su casa». Me lo imagino incapaz, entonces, de producir uno de aquellos párrafos escritos en varias lenguas a la vez, como si presintiera, a su divertido modo, la unidad de Europa. Me lo imagino ciego y además enfermo. Lleno de amargura y resquemor, no contra los críticos, que es en quienes el literato debe descargar su ira, sino contra la literatura misma. Me lo imagino haciendo de Pound, de Yeats, de Beckett y hasta de Joyce mismo, sin éxito alguno en sus intentos de ser otro porque ni el mismo Beckett, que fue su más fiel secretario, habría sido capaz de perder un minuto de su tiempo con el otro Joyce.

El otro Joyce es autor de muchos libros que en realidad suman ninguno. Carece de lectores que lo protejan. Vive a expensas de deudas que contrae con amigos. A fuerza de saberse ignorado, se considera un pésimo escritor. Y lo peor que puede hacer un pésimo escritor es reflejar su pesimismo en sus obras.

Me imagino al otro Joyce subido a la azotea del edificio decidido a tirarse al asfalto sin pensárselo dos veces. Tan decidido está que ni siquiera la lectora va a llegar a tiempo de salvarlo.

Para los literatos puros, aquellos lectores que de tanto haber leído pecan de leer más de lo que leen, el otro Joyce no puede ser de ninguna manera un escritor fracasado. Esta segunda clase de lectores se encuentra en situación de sospechar que el otro Joyce es nada menos que su precursor americano Walt Whitman. La fuerza avasalladora del poeta de los cabellos largos, así como la afición de éste y de Joyce por las enumeraciones geográficas, históricas y circunstanciales, invitan a confundirlos. Sin embargo, dichos procedimientos se encuentran en abundancia en los salmos bíblicos. Y es sabido que Joyce no solamente procuraba crear un libro tan único y espectacular como puede ser la Biblia, sino que la leía una y otra vez a fin de imitarla. Auguste Morel, traductor del *Ulysses* a la lengua francesa, llamó a Joyce «el Whitman de la prosa, un Whitman que habla todas las lenguas de Whitman y algunas más». El propio Joyce tampoco se quedaba atrás sobre este punto al decir que Whitman en persona había soñado su muerte, la desaparición de un poeta irlandés dispuesto a superarle. T. S. Eliot, poeta radical donde los hubo, ni siquiera aceptaba a Whitman como poeta y, sin embargo, creía en Joyce. Y Borges, el gran Borges, en un hermoso artículo titulado *El otro Whitman*, se otorga el papel de Joyce, ya que omite considerarlo en esta diatriba sobre el doble, y distingue a Whitman como precursor suyo.

Por lo que se ve, las opiniones sobre cómo y quién sería el otro Joyce son múltiples y variadas. ¿No habrá un Joyce en cada uno de nosotros? ¿No seremos todos Joyce y habrá un único Joyce para todos? En lo que sí parecen estar de acuerdo los lectores eruditos es en que el otro Joyce existe y, si no existe, habría que fabricarlo. ¡A tal nivel ha llegado su fama, que hay quienes aseguran haberlo visto resurrecto y caminando por ahí con su bastón de ciego, como si tal cosa!

Porque James Joyce termina también muriendo y lo hace de muerte natural, aunque tan fuera de hora, que se duda si no habrá tenido poder sobre el método y el momento de morirse. Una muerte sin violencia pues lejos está Joyce de pensar en tirarse por la ventana. Ese acto suicida es un final digno de sus alumnos, pero nunca de un maestro. Propiciará, no obstante, los elementos necesarios para que algún que otro admirador suyo lo haga por su causa y contribuya de ese modo a propagar su obra. Fue así como entre un séquito de secretarias, ocupadas en copiar a máquina *Ulysses* o *Finnegan's Wake*, una de ellas, la más escandalizada entre todas y también la más exhausta, determinó lanzarse al vacío desde la ventana de su casa. Hasta ese límite de punto y final habían enloquecido a la fiel secretaria los garabatos imposibles y corregidos de los manuscritos del maestro.

¿Se desprende de este y otros acontecimientos similares la tesis de la existencia de «la otra Joyce», la mecanógrafa que, a la manera de la pobre infeliz hermana de Shakespeare, capaz de ser Shakespeare en otras circunstancias, estaba destinada a ser Joyce? La respuesta es un no rotundo. Entre ser copista o autor todavía existen diferencias. El otro Joyce al que me refiero sería tan parecido a Joyce que ni yo misma sabría distinguirlos.

Estaba loca por *Ulysses*

A VECES *Ulysses*, a veces Joyce, o la suma de ambos, tenían la virtud de volver locas a las mujeres. Pues Joyce fue un promotor de la locura femenina, de la locura auténtica, me refiero, y no se trata de construir un simple juego de palabras. Cuatro fueron las mujeres esenciales en la vida de Joyce. Nora y Lucía Joyce, por lo que se refiere a la familia propia, y Helen Kastor Fleischman y Sylvia Beach, por lo que atañe a la postiza.

En cuanto a la posible locura de Nora Joyce, la historia no deja constancia de ella. Se atrevió a quemar las espléndidas cartas que le había escrito su marido, lo cual no es motivo suficiente para calificar esta maniobra sentimental de síntoma de locura. Los mismos biógrafos han calificado este desastre de acto estrafalario.

Mi locura, si la hubo, ha pasado inadvertida. Ha consistido simplemente en vestirme del personaje de Nora Joyce, mujer analfabeta donde las haya, *casi vulgar perfectamente sana totalmente amoral fertilizable indigna de confianza seductora sagaz limitada prudente indiferente...*, etcétera.

Mi predisposición a la locura debió de permitir que Joyce me transformase en Nora Joyce. De otro modo, no me explico cómo habríamos podido estar juntos. Jamás hubiera podido soportar a una rata sabia como esposa. Su egolatría enfermiza, ese afán de protagonismo que desgració a nuestra hija, y años después a la esposa de mi hijo, me transformó en otra. Al fin y al cabo, conmigo fue indulgente. Llevar a término mi papel de Nora Joyce me salvó del manicomio. Lucía Joyce, la pobre, no tuvo tanta suerte. Su padre esperaba de ella una inteligencia superior, una mente creadora propia del padre que la había engendrado. Si a la esposa la cubrió de limitaciones, a la hija le exigió elevadísimas cotas. Detestaba a las mujeres intelectuales y, sin embargo, esperaba de Lucía a la mujer sabia entre las sabias. Ella jamás comprendió la técnica del doble, tan ejemplarmente utilizada por sus padres, y cayó en una esquizofrenia grave. Se volvió violenta. Intentó golpearme en varias ocasiones. No podía soportar mi capacidad de narradora pues yo había desarrollado largamente mi habilidad para convertirme en otras personas y Lucía, que no era tan tonta como parecía, se dio cuenta. Descubrió que la otra Nora ejercía de narradora, y eso le dolió. No pudo soportar que su madre hubiese conseguido exactamente aquello que su padre pretendía de ella. Gritaba por la casa que su padre se había casado con una farsante e intentó matarme. Dedujeron entonces que se había vuelto loca y la encerraron.

Y, sin embargo, Lucía había sido una bailarina excelente. Pero Joyce, que además de detestar a las mujeres sabias tampoco hacía buenas migas con la danza, la convenció de que lo suyo era trabajar para el verdadero arte: la literatura. Ocurrió durante la época en la que Lucía descubrió mi otra vida literaria. Cometió la torpeza de enamorarse del íntimo amigo de su padre. Se hizo novia del secretario con más buena planta y «chico para todo» que Joyce había encontrado desde que Sylvia Beach dejó enfriar sus relaciones con el maestro. Samuel Beckett complació en lo posible los deseos de Lucía y se habría casado con ella de no haber sucedido aquel contratiempo que desencadenó su locura. Ocurrió que casualmente encontró mi relato titulado *Amor breve* en el que la narradora mantiene una relación amorosa y episódica con el escritor Samuel Beckett. Lucía estaba convencida de la veracidad de la historia y esa sospecha desencadenó su demencia hasta el punto de intentar matarme. De nada sirvieron mis explicaciones sobre lo que es mentira o lo que es verdad tanto en la vida como en la literatura. De que la literatura carece de lugar, tiempo y hasta de espacio. No quiso creerme y para ser exactos su padre no colaboró en absoluto en este aspecto. Tuvieron que encerrarla. Luego la soltaron. Pero Beckett, que no podía soportar a otros locos que no fuesen él mismo o sus personajes imaginarios, la rehuyó cuanto pudo y de un modo tan manifiesto que volvieron a encerrarla. Lucía me culpaba de haber sido la causante de la ruptura de sus relaciones con Beckett. Mis consejos fueron inútiles. Yo le decía: «Escribe, Lucía, escribe... Cuéntanos, por ejemplo, tu noviazgo con Sam». Pero ella estaba empeñada en escribir solamente lo que su padre le dictaba. Amaba tanto a Beckett que quería ser la Beckett de Joyce.

No tuvo mejor suerte mi nuera Helen Joyce, esposa de Giorgio y madre de mi único nieto. Su locura fue menos espiritual que la de Lucía. Le dio por llevarse a casa todas las prendas confeccionadas por los grandes modistas parisienses y dejar deudas que nadie podía pagar. Durante las temporadas en que no vivía en el sanatorio, dos enfermeras se ocupaban de cuidarla. Sus padres, que eran ricos, podían permitirse el lujo de tener una hija loca. Helen nunca perdonó a Giorgio que éste se quedase con su hijo, pero menos perdonó a su suegro el haber tenido un hijo como Giorgio. Aunque eso fue después. Durante los años que precedieron a su definitiva demencia, Helen sentía tanto cariño por su suegro, que en la fiesta de aniversario por la aparición del *Ulysses* pidió a un pastelero de la rue de Rivoli que hiciese la reproducción en chocolate de todas las obras publicadas por Joyce hasta la fecha. Ni con esos extremados detalles supo la susceptible Helen atraer la atención de su desaprensivo suegro.

Como las locuras de Helen y Lucía parecían estar dentro de la normalidad psiquiátrica, no se consideraron literariamente interesantes. Joyce las supo mantener en el punto adecuado para no dar lugar a que sus biógrafos hablasen de ellas. No ocurrió así con Sylvia Beach. Joyce, que tenía fama merecida de despreciar a los escritores, mostraba aún mayor escepticismo y desafección por las escritoras. Pero Sylvia no era de esa especie. Y si supo liberarse a tiempo de la locura joyceana fue nada más y nada menos porque decía que estaba rematadamente loca por *Ulysses*. Y esa verdad la protegió de volverse realmente loca por Joyce y a causa de Joyce. La candidata a ser la primera loca entre las locas, predispuesta como nadie a ello (no en vano, Bernard Shaw decía de Sylvia que era «una joven bárbara hechizada por el arrebato y el entusiasmo que el arte desencadena en la materia apasionada»), supo defenderse del monstruo. Lo cual confirma una vez más que las personas ya de por sí desequilibradas se encuentran más protegidas de la vampirización del genio. Pero esta es una opinión que debe ser juzgada por los especialistas en el tema.

Cuando Sylvia conoció a Joyce supo que había dado con el escritor idóneo para inmortalizar «Shakespeare and Company», la librería, casa editora y biblioteca de préstamo de la intrépida norteamericana. No sería justo callar que en el instante preciso de su encuentro, Joyce se enfrentaba con el sueño más importante de su vida. Porque la adorable Sylvia reunía en su persona las tres cualidades que el escritor le reclamaba y necesitaba casi aún más que la literatura misma. En este pequeño y atrevido personaje se presentaba el editor entusiástico, la desprendida bibliotecaria y el no menos generoso banquero de Joyce, y así casi hasta el fin de sus días. Sylvia Beach no era una editora corriente, como su librería no fue tampoco una biblioteca ordinaria, ni proporcionaba el dinero a Joyce como un banquero típico.

Y ahora es el momento de hacer una pausa para reflexionar sobre la permanente necesidad de Joyce de estar siempre rodeado de mujeres, cuando era claro y manifiesto que las odiaba y desconocía profundamente.

Dependía de las mujeres; comportamiento, por otra parte, bastante común para una gran mayoría de varones. La diferencia de Joyce con otros hombres —en el sentido edípico, me refiero— radica en que Joyce ve en la mujer una madre dividida en dos referentes bastante originales. La madre Iglesia por un lado (nunca superó su negativa a postrarse de rodillas ante la petición que le hiciera su madre desde su lecho de moribunda), y la madre Irlanda por otro. Detestaba ambas y tanto más las detestaba cuanto más difícil le resultaba librarse de una y otra.

Recuerdo que Joyce se enfurecía en cada ocasión en que alguien hacía alusiones literarias a su obra en jerga psicoanalítica. Consideraba que el psicoanálisis era un

119

grave elemento castrador de talentos creadores. Destruía la espontaneidad artística en aras de un peligrosísimo autoconocimiento. El análisis acabaría con el genio artístico y convertiría a los llamados artistas en autómatas normalizados de la creación literaria.

Sylvia Beach fue para James Joyce el colmo de las madres. Del club de mujeres joyceanas era, por tanto, la más predispuesta a terminar loca de remate. No hizo otra cosa en su vida que leer y releer diariamente el *Ulysses*. Se podría decir que lo escribió en comandita con su autor. Pero fue también la primera en darse cuenta de que la lectura del *Ulysses* volvía locas a las mujeres. Previno a su compañera sentimental Adrienne Monnier de tal peligro y ésta, de por sí supersticiosa, puso cirios en la catedral de París con objeto de salvaguardar a ambas. Sylvia no llegó a tanto. Su conocimiento del hecho la protegió del maleficio del *Ulysses*, aunque en otros aspectos la acercó tan íntimamente al artista que acabaron peleándose.

Las otras lectoras enloquecieron todas. En especial aquéllas de las que he podido tener noticia. Y no me refiero solamente a Helen o a Lucía. Pienso en Zelda Sayre, cuyas continuas crisis nerviosas, nada secretas por otra parte, obligaron al displicente F. Scott Fitzgerald a internarla en un sanatorio de enfermos mentales. Pienso en la propia madre de Sylvia, en una ocasión en la que fue a visitar a su hija a París. Una tarde, después de dejar Shakespeare and Company, la madre de Sylvia decidió apartarse para siempre de la vida. Sylvia ocultó a sus familiares el suicidio de la madre y se llevó este secreto a la tumba. Se sentía demasiado responsable del motivo. Y pienso, cómo no, en Virginia Woolf, cuya culpa por negarse a la publicación del *Ulysses* en la editorial Hogarth Press que regentaba con su marido Leonard la condujo a ahogarse definitivamente en el río Ouse.

Y pienso en mí, naturalmente, y en mi reputación de mujer iletrada e indiferente esposa que se niega a leer las obras de su popular marido. Pero espero que con lo dicho hasta ahora se entenderán mejor las razones de mi aversión a leerlas.

Como editora, Miss Beach fue sublime. Ejemplar. Es de esas editoras que contribuyen en cuerpo y alma a la gestación de las obras de su autor querido. Tanto es así, que una a veces no sabe a ciencia cierta quién de los dos es el autor auténtico. ¿Hasta qué punto la relevancia de Joyce no es producto de la importancia esencial que Sylvia le concedió a él y a su obra? En realidad, dedicó su vida a esta causa. Ya no quedan editores de esta especie. El escritor ha de inventarlos. Un editor de esta clase (y claro está que no me refiero al vendedor de enciclopedias decorativas o al mercader ilustrado) es un ser inmerso totalmente en el texto que al propio tiempo es la vida del autor. La combinación Sylvia/Joyce fue única e irrepetible.

Veamos, no tanto hasta qué punto, sino cómo colaboraron.

En el proceso de escritura de un libro intervienen como es lógico múltiples factores. Para un escritor honesto el factor esencial es el que corresponde al momento y lugar en que el autor transforma su pensamiento en palabras, su intención mental en lenguaje escrito. No es ése el caso de James Joyce, cuya esencia de creador se funda en el fraude. Esto significa que su estrategia de escritura está más relacionada con el marketing que con la estrategia de creación. El acto creador de Joyce estaba en la persona y comportamiento cotidiano de Joyce y no tanto en su obra, redactada en su mayor parte en colaboración. De ahí que si él pudo convertirse en genio nunca lo conseguirán sus imitadores, cuyas circunstancias vitales nunca serán parecidas a las del maestro. Durante el proceso de escritura Joyce hacía trampa; pero, a diferencia de otros escritores tramposos, él era la trampa de la escritura. Debido a su egolatría artística llevada al grado sumo, sus amigos íntimos terminaban abandonándolo. O probablemente era él el primero en apartarse cuando aquéllos dejaban de interesarle para sus fines crematísticos literarios. Sylvia, la amiga íntima por excelencia, fue un elemento imprescindible en el trabajo de redacción del *Ulysses* y de *Finnegan's Wake*. Los dos fraudes magistrales −según palabras de André Gide− de la historia de la literatura. Resta por averiguar si sólo fueron eso.

Sylvia tenía todas las cualidades que debe poseer un escritor. Amaba los libros y los atesoraba no por su forma, como podría sospecharse de su bibliofilia, sino por su contenido. Admiraba y respetaba a los autores, cosa aún más difícil para una consumada lectora como era ella. Su espíritu intuitivo, metodológico y práctico la convirtió en la primera documentalista de la historia, precursora en este sentido de Umberto Eco. Fundó en su librería el llamado

«Ulysses studio» dedicado a buscar documentación sobre temas y personajes que debía incluir el texto del *Ulysses*. Entregó más horas al trabajo de elaboración de esta novela que el propio Joyce a redactarla. Al mismo tiempo, se ocupaba de sacar adelante Shakespeare and Company, un filón creador para otros escritores que al mínimo descuido podían hacer sombra al ambicioso proyecto de Joyce. Pero para Sylvia Joyce era y sería siempre el primero y el mejor de ellos. No estaba tan clara su posición con respecto a la librería. En efecto, Joyce parecía destinado a competir solamente con Shakespeare and Company y la idea no le gustaba en absoluto. Como escritora tenía, sin embargo, un gran defecto. Mucha pereza y demasiada humildad. Ella creía en el arte puro. Joyce estaba convencido de que éste no podía darse si no iba acompañado de la fama y el dinero para producirlo. Arte le sobraba a Joyce por todas partes. Y no carecía de ingenio verbal, cualidad a la que Sylvia era exageradamente sensible. Así que cautivó a sus mecenas y editora utilizando esa manía suya de hacer malabarismos con las palabras y fabricar sinsentidos y jugar a adivinanzas. Sylvia, hija favorita de un pastor protestante, creyó que el verbo era Joyce y llamarlo «el dios artista» fue todo uno. Se entregó a su causa como un fanático obedece al jefe de su secta, sin darse cuenta de que tras el velo divino de su maestro vivía y maquinaba el más astuto de los comerciantes. Fue así como se ocupó de transformar el ingenio verbal de Joyce en alta literatura; en contrapartida, Joyce convirtió la librería de su editora en una editorial eterna y enigmática.

Fabricado comercialmente el escritor que todos esperaban, pues habían pagado de antemano la primera edición de una obra que todavía no se había publicado, Joyce debía darse prisa en contentar a sus suscriptores, no fuera que éstos se hartaran de esperar el *Ulysses* y lo olvidaran. Todo sucedió como autor y editora habían previsto. La empresa resultó bastante más fácil de lo que sus suscriptores sospechaban. El éxito que Sylvia había creado con la novela de su autor predilecto, obedeciendo por supuesto a los consejos que le daba su protegido, alimentaba el proceso de redacción. Y por si todo ese montaje no fuera bastante, su futura editora lo instaba a poner en el libro los nombres de las personas y, a veces, a las personas mismas que frecuentaban la librería. Además, escritor y colaboradora salían con cierta frecuencia a la calle para descubrir entre los viandantes a posibles Leopoldos o Mollys Bloom que sirviesen como protagonistas del manuscrito. No es una técnica literaria banal la que practicaban Joyce y Sylvia Beach. ¿No buscamos también aquí Joyces y Kafkas por todas partes? Las páginas más logradas de las dos últimas obras joyceanas se deben a un pasatiempo que Sylvia y Joyce improvisaban con los clientes de la librería. Consistía en pedir a cada miembro de la reunión que dijese una frase al oído de su compañero de corro que éste alargaba al oído del siguiente, haciendo crecer de ese modo el disparate. Disparate confeccionado con frases que Joyce trasplantaba literalmente a su manuscrito.

Con un autor de tales características, resultaba casi imposible encontrar editores interesados en la publicación de lo que pocos años después se consideraría una gran joya literaria. Un autor de tal categoría debe crear a su propio editor, o editora en este caso. Y así también, una editora de tal especie debe ser capaz de crear un autor magistral y único. Sylvia Beach no ponía reparos en el número indefinido de pruebas de imprenta que su dios artista precisaba para dar por acabada su versión definitiva. Porque Joyce devoraba pruebas de imprenta. Ayudará a los futuros escritores saber que las tres cuartas partes del *Ulysses* están escritas directamente sobre las pruebas de imprenta. Cabe preguntarse ahora si la causa de que no haya habido obras de calidad similar a aquélla no será la falta de editores tan magnánimos; y tan obedientes al deseo de su autor. ¡Cuántos *Ulysses* tendríamos hoy de haber existido varias reproducciones de Sylvia!

Siguiendo una programación estudiada en grado milimétrico, Joyce le pedía a su editora que organizase conferencias sobre el *Ulysses* y para tal evento preparaba los esquemas correspondientes que ella se ocuparía de hacer llegar a los conferenciantes. Los conferenciantes eran, por regla general, amigos que muy pronto se cansaban de ser utilizados como amigos y como conferenciantes. Y dado que partimos de esa normativa que declara que no existe auténtico escritor sin una corte de críticos a él dedicados y un par de biógrafos que se ocupen de relatar su vida, Joyce fue tan listo como para inventar no sólo una jerga especial que tuviese ocupados durante siglos a sus estudiosos, sino que inventó también a sus propios inventores. Porque después de Joyce, y por su causa, todo libro con pretensión de ser sublime exige la redacción de otros libros que expliquen al lector el contenido del mismo. Con lo cual estamos obligados a comprar una cantidad exorbitante de guías, diccionarios y manuales de lectura que nos ayuden a comprender las recientes obras magistrales.

Son incontables los biógrafos dedicados a desentrañar aspectos cada vez más inverosímiles de la vida de Joyce. Muchos de sus biógrafos fueron espontáneos, pero otros fueron manipulados por el propio Joyce, que se ocupó de crear al más leal de todos ellos: Stuart Gilbert. Ninguno con tanta experiencia en descifrar joyceanos como Stuart Gilbert. Disponía de casi todas las claves del *Ulysses*, dedicó nada menos que trescientas páginas a la descripción del mapa explicativo de esta novela. Y para dar remate a su tarea, escribió la biografía que Joyce deseaba. Una biografía no mucho más falsa que las restantes biografías que sobre Joyce se han escrito, o puedan escribirse, pero llena de silencios y vacíos notables. En ella, por ejemplo, se corre un tupido velo sobre la enfermedad de Lucía y se calla por completo la traición final de Joyce a su editora y banquera. Para Stuart Gilbert, el déspota pasa a convertirse en una gran víctima de las circunstancias.

En lo que respecta a la fabricación de sus críticos fue igualmente meticuloso y, dadas las circunstancias, bastante más simbólico. Los críticos se deshacen con los detalles que los escritores les brindan. Y Joyce, para satisfacerlos, hizo reunir en un libro las doce críticas escritas por los doce apóstoles de su obra. Eran los doce amigos que, a su vez, habían cumplido tareas de obedientes chicos de recados. Sin ir más lejos, el propio Joyce apodaba a sus amigos y compañeros de fatigas E. Jolas, E. Paul y S. Beckett (el más amado) con los nombres de los apóstoles evangélicos: San Pedro, San Pablo y San Juan, respectivamente. Y él mismo se distinguía con el nombre de Maestro.

A estas alturas, Sylvia creyó que su ídolo había ido demasiado lejos. Fue cuando empezó a sospechar sobre las auténticas razones literarias de su maestro y dejó de ser la obediente colaboradora que siempre había sido. Por otra parte, Joyce la había arruinado por completo, merced a préstamos desmesurados que exigía de su editora en períodos cada vez más breves y que duraron más de diez años. Y lo más imperdonable de su actitud egocéntrica con respecto a su benefactora fue que impidió que cuidase de su madre, que terminó suicidándose en casa de su hija. Y todavía hubo más. Sus exigencias habían llegado al extremo de rogarle que entre Shakespeare and Company y Joyce (empresas ambas creadas por Sylvia), eligiese a Joyce, lo que representaba cerrar la librería y trasladarse a Estados Unidos para organizar la segunda plataforma joyceana.

Fue cuando Sylvia protestó a su modo e hizo saber al Maestro que su dedicación tenía un límite. Joyce decidió entonces saltarse las cláusulas de su contrato con ella y cedió los derechos de sus obras a otros editores. En este acto consistió la traición a su colaboradora, pero justo es decir que en ese momento hacía tiempo que Sylvia había renunciado a seguir siendo la editora del genio. Y, como por milagro, el genio había abruptamente dejado de serlo. Esa ruptura, que la historia califica de inocente, fue demoledora para la carrera del escritor. Con ella, Joyce puso fin a su ejercicio de enhebrar palabras. *Finnegan's Wake*, publicado por Sylvia, fue su testamento maldito. A causa de esta publicación, y de la ruina consecuente, Sylvia tuvo que abandonar su querida librería, pero Joyce fue abandonado por la literatura y, como buen escritor que era, murió seguidamente.

Sylvia nos sobrevivió a todos. La encontré después, enterrado Joyce, cuando con motivo de la subasta de algunos de sus manuscritos, coincidimos en una nueva libre-

ría del Boulevard Saint-Germain, llamada La Hune. La ex
editora cumplía a la perfección su papel de consorte literaria del genio. Tampoco estuve mal yo en cuanto viuda
distraída del gran Joyce.

¿Cómo está Dios?

DEMASIADAS preguntas sobre *Finnegan's Wake* y ninguna respuesta convincente. La antinovela de Joyce importunó a amigos y enemigos desde el momento de su aparición, que, en lo que se refiere a la metodología de trabajo joyceana, quiere decir desde el primer momento en que aparecieron *works in progress* de la misma. ¿Se trata de un libro o de una broma de mal gusto? Y si en verdad el texto de *F. W.* equivale al contenido de un libro, y no al de un cuaderno de ejercicios de un pobre demente, ¿qué clase de libro es ése? Teorías sobre la última novela del genio existen a millares, a cual más disparatada. Hay quien opina que *F. W.* reúne un conjunto de textos de mi padre Franz Kafka leídos de atrás hacia adelante, tergiversados y, evidentemente, henchidos. No es una teoría descabellada. Pero más cerca de la verdad se encuentra la opinión de quien asegura que está escrito por su hija Lucía Joyce, loca de atar para más señas y encerrada en un manicomio de por vida. Quien haya llegado a esta conclusión está claro que lo ha hecho movido por la envidia a Joyce y a su lugar de honor en las artes literarias, pues nunca se ha probado tal hipótesis y nada más fácil para hundir a un compañero de la profesión que decir de él que sus libros han sido escritos por un infeliz lunático. Pero en este caso, fuese por malicia o por casualidad, a quien llegara a pensar de ese modo casi se le puede asegurar que acertó en sus consideraciones.

Quede claro que Joyce no escribió el libro en solitario. A partir de la publicación de su tan controvertida obra ningún novelista serio puede atreverse ya a decir, sin que eso suene a una mentira, que es el único y exclusivo autor de una novela. ¿Quién la escribió entonces? ¿O junto a quién se dedicó a dar vida a esa obra tan alabada como incomprendida? Por supuesto, no conmigo. Si en las parejas de escritores hay armonía, cuando la hay, es, ni más ni menos, porque la dedicación a la literatura los vuelve inmunes al mundo literario del otro. Si Joyce me caracterizó de persona vulgar, para mí Joyce es el ejemplo típico del escritor tramposo. Pero ésas son opiniones subjetivas y caprichosas. Además, en el fondo de nuestro corazón ambos sabemos que mentimos, y el corazón se utiliza tan escasamente en la escritura... Si un escritor quiere ser por encima de todo un hombre bueno, mejor es que desista en su empeño de convertirse en un buen escritor.

Los escritores no colaboran con sus esposas escritoras, ni falta que les hace, pero con los hijos sucede algo totalmente distinto. La simbiosis padre escritor/hija escritora (lo sé por experiencia) es total y definitiva. Un héroe de las letras puras puede llegar a hacer de su hija, por poco que ésta sea sensible al arte y a la literatura, un verdadero monstruo. Lo cual suma como mínimo dos monstruosidades. Falta por averiguar si fue Lucía Joyce quien convirtió *Finnegan's Wake* en una monstruosidad literaria o, por el contrario, fue la novela la que se ocupó de fomentar la chifladura de Lucía. ¿O ambas monstruosidades se dieron conjuntamente? Mi querido Ernest Hemingway, siempre tan cómico y extravagante, no exageraba cuando para tener noticias de Joyce le preguntaba a nuestra común amiga Sylvia Beach: «¿Y cómo está Dios?».

Para Lucía su padre era Dios. Este convencimiento no habría tenido mayor importancia que el de un clásico complejo de Edipo si, por su parte, Joyce no hubiera estado igualmente convencido de que Dios era también su hija Lucía. Eso sucedió cuando Lucía se había convertido en una mujer adulta, en la misma época en que empezó a dar muestras de su demencia. De pronto, empezó a hablar como un libro, como un libro escrito por su padre o que su padre aún no se había sentido capaz de escribir. Y fue entonces cuando se hizo la luz. «Lucía soy yo», se defendía Joyce.

A partir de entonces, se dedicó a tratarla como si fuese un genio. Las palabras de Lucía conformaban ese cabo atascado, quebradizo y perdido, a veces, que el escritor va tirando de su trasfondo mental cuando con la pluma rasga el papel y da forma a las palabras. Joyce sentaba a Lucía a su lado y ella le traspasaba el aliento creativo como los dedos impulsan al piano distintas variaciones de una sonata de Beethoven. ¿Quién de los dos estaba escribiendo, entonces? Joyce, aterrorizado por la escritura que surgía como por ensalmo, era consciente de que aquello no era creación auténtica sino ejercicio telepático. Pero ¿de quién eran las palabras?, ¿de Joyce padre o de Joyce hija? Olvidado de sus fantasmas habituales, Joyce encontraba en ese juego la fórmula que le permitía entregarse a una segunda adolescencia. Comoquiera que fuese, el pesimismo que lo caracterizaba, su difícil ajuste de cuentas con el pasado, habían desaparecido gracias al diálogo con una memoria mineral, objetiva, obediente, irresponsable, transistorizada, tan humanamente inhumana que era capaz de aliviar el dolor insufrible de la existencia de la que se quejaba habitualmente.

Puede una máquina ser persona pero no una persona convertirse en una máquina sin, a causa de ello, volverse loca.

¿Quién estaba entonces escribiendo el libro? Seguro que Lucía Joyce. ¿Pero quién se había ocupado de crear y formar a Lucía como si fuese el libro de los libros? Sin duda, ningún otro que James Joyce, su padre. La afición de políglota que sentía y de la cual disfrutaba siempre que escribía la experimentó con su propia hija. Lucía parecía una máquina de traducir lenguas. Las hablaba casi todas. Algunas de las básicas las aprendió por la obligación de sobrevivir en los distintos países de nuestra peregrinación. Otras más extrañas, por el placer de contentar a su padre, que deseaba tener una hija aun más dotada para el lenguaje hablado y literario de lo que él presumía. El resultado fue la catástrofe esperada. Lucía no hablaba bien ninguna de las lenguas aprendidas. Hacía una mezcolanza de todas ellas, lo cual me parecía espantoso; pero a su padre le caía en gracia. Y en consecuencia, Lucía las mezclaba de forma aún más exagerada, hasta el punto de inventar con Joyce una especie de media lengua y jerga extraña que los hacía sentirse poderosos y superiores a todos aquellos que teníamos la costumbre de hablar una lengua después de otra. Joyce fomentaba en Lucía el ejercicio de ese don que suponía mágico y para salvarla (lo que significaba hundirla más en el jeroglífico de su mente) la perseguía para que inventase alfabetos nuevos y escribiera con ellos.

No es de extrañar, entonces, que el llamado lenguaje esquizofrénico de *F. W.* sea el producto de la mente joyceana de Lucía. Claro que no se trata únicamente de una jugarreta paterno-filial, pues de otro modo este libro de aspecto ininteligible no tendría el carácter de monumento que se le atribuye. Lucía pudo ser algo más que una hija trastornada del genio literario del siglo.

¿Quién era y cómo era Lucía? ¿Por qué razón todos los biógrafos de Joyce mienten en cada ocasión que deben referirse a la relación sentimental y tempestuosa de Lucía Joyce con Samuel Beckett? Se limitan a concederle el papel de niña consentida y encaprichada, de improviso, con el amigo irlandés de su padre, al cual persigue de forma enloquecida. Sólo Peggy Guggenheim, amante de Samuel Beckett meses después de su ruptura con Lucía, irá al fondo de la historia. Según Peggy, Lucía y Samuel estuvieron prometidos, aunque la relación fue, por supuesto, infeliz. Beckett era de ese tipo de hombres que jamás se entregan a las mujeres y esta peculiaridad, junto a su físico nada desestimable, era lo que las llevaba a perder la cabeza por su causa. El escritor era frío y ensimismado hasta tal punto que se diría hecho a la medida de Joyce, pero nunca de su hija enferma y bastante frívola. En cierta manera, se comportaba como si fuese hermano de Lucía e hijo del mismo padre. Sin embargo, y en lo que al trabajo literario se refiere, conformaban un verdadero trío. Beckett, que adoraba a su maestro, mostraba gran interés en imitarlo. Vestía como Joyce, copiaba sus maneras, sus silencios y, por supuesto, esa forma tan característica suya de cruzar las piernas como un contorsionista. Intentaba copiar, además, su tan personal estilo literario. Y seguramente se habría casado con Lucía de no coincidir aquella época con la esterilidad literaria de Joyce y el consecuente descalabro de Lucía. Escribir conjuntamente *Finnegan's Wake* terminó por trastornar definitivamente tanto al padre como a la hija. Beckett, por su condición de extraño, pudo salvarse. Pero, por lo que respecta a Joyce, éste dejó de escribir y murió al cabo de unos meses. La muerte de Lucía sobrevino de otro modo. Se convirtió en libro viviente. Su mente era el libro, y hablaba como el libro, mientras su cuerpo dormía en un manicomio.

Ésta es, entonces, la historia de un padre escritor que malgasta la energía de su hija para convertirla en libro. Libro, a su vez, que destruye el libro y con él a sus autores. Daré un ejemplo. A esa pobre chica llamada Lucía, que suspira por ser bailarina y cuenta los días para que llegue el momento de comprar otro vestido o abrigo de piel que añadir a su continuamente renovado vestuario, su padre la embauca en un apoteósico festival de palabras. Lucía se transforma en el *alter ego* de Joyce o así es como su padre desea verla. Jung lo había dicho de otro modo: «Lucía era el alma de Joyce». Y con ese cuerpo de su cuerpo, alma de su alma, el escritor se divertía durante horas en el intento, por citar un caso, de emplear en un capítulo de su libro todas las figuras retóricas que conocía o había deseado conocer. Y en ese capítulo, el lector puede encontrar metonimia, quiasmo, anacoluto, hipérbaton, metátesis, prosopopeya, polisíndeton, apócope, ironía, síncopa, solecismo, anagrama, metalepsis, tautología, anástrofe, pleonasmo, palíndromo, sarcasmo, perífrasis, hipérbole... De tanto ensayar la retórica, Lucía se perdió en ella y perdió también a Beckett.

Su padre no tuvo toda la culpa. Presiento que yo también contribuí al desastre. Joyce confundió a su hija con su novela y por cre(a)erlas geniales destruyó a ambas. Yo cometí el error de confundir a mi hija conmigo misma o con la hija de mi madre, o con mi madre incluso, y determiné su fin por querer equipararlo al principio.

El escritor es una víctima de sus obsesiones e insiste una y otra vez en recordárnoslas. Y así yo escribía, una y otra vez, que en mi infancia debía haber tenido una madre y mientras escribía y escribía la absurdidad de tener que inventarse una madre, cargaba sobre Lucía la imposibilidad de tenerla. ¡Al inventar a mi madre encerrada en el desván, presa de su locura y castigada por ella, estaba dando forma real a mi hija Lucía encerrada en el manicomio y víctima de su inocente demencia! Cuando nació Lucía, nació mi madre en ella e hice de mí, mi propia hija, y de mi hija, mi madre y mis quimeras. Tanta insistencia en escribir sobre el fantasma de mi madre me ha descubierto al fin que en mi escritura se perfilaba la tragedia de mi hija. O puede ser también que Lucía haya elegido el destino de mi madre. Puesto que no podía ser la esposa de Joyce, decidió transformarse en el fantasma de la señora Kafka; en ese caso, tal vez yo sea entonces la hija perdida de Lucía Joyce.

Para conocer a la loca del desván que amenazaba con ser mi madre, para verla o escapar al fin de ella, incendié el desván y a punto estuve de quemar toda la casa. La misma empresa llevó a cabo Lucía cuando provocó el incendio del sanatorio que encerraba su locura y que la convirtió en víctima también de las llamas. He aquí, al fin, la respuesta a la pregunta tantas veces formulada por la crítica literaria de por qué Lucía hizo lo que hizo. Los locos poseen razones lógicas para matarse que los llamados cuerdos ignoran. El argumento de Lucía es inapelable. No se encuentra una justificación mejor de por qué se quemó y quemó la casa en la que estaba recluida. Lucía deliraba y estaba loca porque su madre quemó su casa y a su madre loca que en ella se escondía. De la misma manera se comportó Lucía forzada por la necesidad de poder explicar su existencia y la existencia de su madre y la existencia más dolorosa aún de la madre de su madre. Pero las explicaciones, por buenas, justas y verdaderas que sean, nunca satisfacen del todo. Todavía me quedan interrogantes que resolver sobre el caso. ¿A quién trataba de imitar Lucía quemándose viva en el manicomio donde vivía? ¿Quería ser su madre o bien la madre de su madre? ¿O era la repetición infinita de la hija que mata a su madre o la madre que inmola a su hija? Lucía, allá arriba, presa de las llamas, simbolizaba el genio mecánico que destruye cuanto inventa y reproduce las voces desordenadas de los otros. Si gracias a Lucía obtuve el privilegio de encontrar, por fin, a mi madre o lo que ella representaba, Joyce dio con algo superior. Encontró en Lucía el medio mecánico de reproducir su alma indefinidamente. ¿Quién está dispuesto a negar que no haya una Lucía Joyce en toda lectora con sublimes aspiraciones?

Libro de sueños

A NADIE, ni a Joyce mismo, le gusta que le aireen así como así sus debilidades secretas. Cuanto más arriba quiere llegar un escritor, mayor cuidado pone en ocultar su intimidad, especialmente la relacionada con el sexo. Por el momento, no se conoce otro método literario de alcanzar la divinidad.

Fue Joyce mismo quien, poco antes de morir, me rogó que me deshiciese de sus cartas. Y, tal y como era su deseo, quemé todas las cartas ardientes y arrojadas, otras cobardes e infelices, que me había dirigido. Destruí todas las que pude encontrar porque algunas –por lo que se ve– se salvaron de la fogata. Las menos comprometidas, sin embargo. Debí de perderlas en uno de nuestros continuos traslados de casa y hasta de ciudad. Y alguien se ocupó distraídamente de guardarlas y, a la postre, de malvenderlas. Todas eran idénticas. Tanta fijación en mi trasero y en cómo movía mi trasero. Al fin y al cabo, a quién ha de importarle mi trasero y todo lo que hacía Joyce con él. «¡Quémalo, Nora!», me pedía. Y así lo hice. Y siempre me he arrepentido de haberlo hecho. Nunca deben respetarse esa clase de ruegos cuando provienen de un moribundo. Tanto insistir en que lo hiciese significaba que en el fondo deseaba lo contrario. No quería que sus cartas eróticas desapareciesen de la historia. Deseaba, tan sólo, que tomara expresa nota de ese ruego que, daba por sentado, yo nunca cumpliría. Así también Kafka. La petición a su amigo Max Brod de que quemase sus manuscritos ocultaba su deseo de supervivencia y en especial su interés porque la humanidad entera conociera esa petición indiscutible de falsa modestia. Sucedió solamente que yo no supe ser Max Brod.

«Si tanto lo quieres, quémalas tú mismo», debía haberle dicho. Le habría dado el permiso para deshacerse de ellas. A fin de cuentas, era él quien las guardaba como si se tratase de documentos esenciales para la comprensión de su poesía y su narrativa. Y tenía razón. Sin esas cartas, la historia del genio literario habría quedado algo defectuosa. No debí hacerlo. Y ahora, la historia, siempre tan equívoca, no me cargaría con la responsabilidad de un hecho que ya no tiene arreglo posible.

Y quien dice de James Joyce dice también de cualquier otro escritor que haya tenido algún que otro tipo de vida íntima. La mayoría de los escritores, sea por exceso como por defecto, hacen gala de sus preferencias sexuales o de su falta de preferencias. No digamos Joyce. Con esa pose caballeresca, nadie se imagina lo que me llegaba a decir o lo que me pedía que hiciese, o lo que no llegaba a poder hacer, o lo que resultaba todavía más insolente y divertido: todas las cosas que me pedía que le dijera. «Dime que eres mi puta. Repite: Soy tu puta», me suplicaba. Y al fin y al cabo, qué cuesta. Y tampoco es tan extraño. Y quien nunca lo haya hecho se lo pierde. Me bastaba con repetir esa fracesita para que reventase en mis brazos como nadie. Y así tantas otras frases más. Algunas de ellas ni merece la pena escribirlas y en caso de repetirlas se las diría a un hombre y debería pensar antes en ese hombre para decirlas. El amor se hace también con el lenguaje, según Joyce. El lenguaje acompaña al amor como acompaña al tacto la mirada. Y vale la pena que lo sepa quien nunca lo ha probado. No es necesario tener el don de la palabra. Basta con que uno piense para los dos y el otro lo repita. Y diga, por ejemplo, algo así como: «Dime que quieres que te folle». Y eso, según en qué momento, suena a ángeles. Tanto decir te quiero, que es como decir nada, de tanto cargamento conceptual sobreañadido a la frase. «Dime que eres mía», suena más ardiente. Y a todas las mujeres, en especial a las francotiradoras, les gusta decir «soy tuya» en los momentos críticos. «Di que tu coño es mío», me suplicaba Joyce en persona. Y yo repetía automáticamente: «Mi coño es tuyo».

Si los escritores se prestaran a confesar sus delirios sexuales, leeríamos sus libros mucho más a gusto. Si supiéramos que el célebre autor de *Fausto* disfrutaba corriéndose en la parte trasera de sus treinta amantes, tendríamos a Goethe mucho más en cuenta. Aseguro que se leería más, incluso, si se dijera de él, como se dice, que tuvo serios problemas de impotencia. Los escritores con apariencia de libertinos son, en definitiva, los más castos. A lo sumo, lo consiguen con jovencitas bobas e inconscientes. Y, en cambio, de Joyce, con su aspecto de funámbulo, quién hubiese dicho que era un amante como pocos, mientras pudo serlo. Porque luego todo se estropea. Las cosas duran y se eternizan justamente porque se estropean. Que se la tocase y luego que me pusiera encima de él, era lo que más me pedía que le hiciera y me paseara con los muslos abiertos a lo largo de su cuerpo esquelético, que en algo sí que recordaba a Beckett, todo hay que decirlo.

Y hay que añadir a todo eso su «libro de sueños». Joyce se deshacía mientras escuchaba mis sueños eróticos. Debía contárselos con todo detalle al momento de despertarme porque de lo contrario me olvidaba y se ponía furioso cuando en el supremo instante de mi entrega perdía el hilo y no había modo de acordarme de lo que seguía. Él me decía que me amaba, entre otras cosas, por mi trasero y mis sueños eróticos. Estaba seguro de que en el mundo no había una mujer que soñase lo que yo. Mis sueños lo volvían loco. Los escribía en una libretita que llamaba *Libro de sueños*. Recuerdo que uno de ellos empezaba de este modo: «Nora está cagando en un margen de la carretera...». Y al finalizar el relato del sueño añadía sus interpretaciones, por otro lado nada objetivas, pero tenía que escribirlas y jamás descuidaba hacerlo, tenía que escribir mis sueños obscenos y luego interpretarlos correcta y seriamente, como si fuese un psicólogo. Mis sueños sexuales. Porque los otros no le interesaban nada. Mis sueños angustiosos, mis pesadillas. Ésas eran vulgares. Y se excitaba de un modo grotesco cuando en mis sueños aparecían otros hombres, jóvenes, de veinte a veinticinco años, todo lo más, y hacía el amor con ellos. Y todo lo que cupiese. Y eso no lo podía soportar. Siempre sospechando que me acostaba con los amigos de mi hijo George, como Samuel Beckett, por ejemplo, y por esa razón lo tenía tanto tiempo en casa para que si por casualidad se me ocurriera seducirlo, estar él delante, o escondido, presenciando la escena. Y, al rato, escribirla. «Engáñame un poco y dame qué escribir», parecía decirme todo el santo día. Veía hombres a mi alrededor y por todas partes. Si alguna vez, porque eso sucede a veces, aparecía un cuerpo de mujer en mis sueños, Joyce no me lo perdonaba. Su interpretación psicológica era entonces de lo más partidista. Podía perfectamente decir algo así: «Esa mujer es la mujer que Nora quiere ser para mí y su anhelo inconfesado la impulsa, en el intercambio erótico, a ejercer el papel que a mí, como hombre, me corresponde». Y en el caso de que esa mujer hubiera sido Sylvia Beach, por decir un nombre, que llena con su saliva el agujero de mi vientre, Joyce habría escrito en su libretita: «Nora está intentando ser para mi cuerpo lo que Sylvia ha representado para mi subsistencia».

No es que soñara muy a menudo con mujeres pero ocurren a veces cosas que, por otra parte, no vale la pena escribir porque uno se aburre de escribir siempre lo mismo. Escribir sobre el sexo no es ni más ni menos aburrido que escribir sobre cualquier otra cosa. Joyce lo pasaba estupendamente escribiendo obscenidades. Se lo tomaba como una forma de agredir a todos los lectores fanáticos por la fe católica. «Mi libro —se refería al *Ulysses*— se convertirá en la Biblia de la gente culta». Y así ha sido. Ha logrado que el lector venere un libro obsceno de igual modo que venera uno piadoso. Ha conseguido que el mismo lector educado en la fe cristiana y católica tenga colocados ambos libros en su estantería principal y conceda a ambos la misma sagrada importancia. «Mi *Ulysses* es la antibiblia». Tal vez no dijo esta frase exactamente pero habría podido hacerlo. Contados son los lectores que hayan sido capaces de leer la Biblia del principio al fin. Lo mismo ocurre con el *Ulysses* de Joyce. Un *Ulysses* para cada familia, aburrido y polvoriento y quieto en la estantería.

Todavía no he averiguado si el alcohol contribuye a

que lo bueno termine antes, o bien, es el colofón de los hechos felices. Lo cierto es que termina con el sexo. Y por mucho ingenio verbal que se tenga, llega un momento en que la cosa deja de funcionar como dejó de funcionar, poco a poco, a causa de la bebida y de sus correrías nocturnas, el inagotable Joyce. Tampoco llegué a saber si la bebida era la excusa para andar por ahí borracho y en busca de mujeres o si sus desapariciones nocturnas se debían a la posibilidad de beber lejos de mi vigilancia y cuidado. En estas situaciones, no me quedaba sino hacer las maletas y abandonarlo, y cuando ya estaba dispuesta a dejarlo para siempre, llegaba él, compungido, con lágrimas en los ojos, o mandaba a uno de sus esbirros a suplicarme que lo perdonara. «Lo siento, Nora, no me abandones», me suplicaba. «No volverá a suceder». Pero sucedía. Y yo casi mecánicamente volvía a meter mi ropa en las maletas y me iba a dormir a un hotel. Cualquier cosa, menos esperarlo. Él creía entonces que me iba con otros hombres. Estaba convencido de que una mujer con un trasero como el mío escondía algo. Se las daba de conocer perfectamente a las mujeres. Todavía es posible que algún día aparezca una buena mujer con aires de haber tenido una aventura con Joyce. Una prostituta, seguramente, o una doctoranda en filología inglesa, en el peor de los casos. Cualquier lectora de Joyce puede inventar una historia amorosa con el poeta y allá cada uno de creer lo que quiera. Otra cosa sería que alguien dijera «yo soy también Nora Joyce, la esposa del poeta». Y no lo digo con orgullo. Muchas veces lo amenacé con abandonarlo. Pero hay hombres, y mujeres me imagino, que cuando sus esposas los abandonan no tardan en morirse, y, si viven, es como si estuviesen muertos. No se trata de una muerte por amor, como les gusta creer a algunos, sino una muerte por desnutrición emotiva y psíquica. Ver a Joyce en ese estado me hacía cambiar de idea, aceptaba su perdón y regresaba a casa hasta que sobrevenía otra borrachera, y otra escapada nocturna, y yo volvía a repetir mi escena de abandono, que finalmente perdía toda su trascendencia. La cuestión es acostumbrarse a las peleas, a las amenazas y a que el sexo vaya también dejando de ser sexo para convertirse en... Nunca sabré en qué otra cosa.

Recetario sobre para quién escribes

LOS LECTORES contemporáneos son complicados, demasiado arbitrarios y sus cabezas se encuentran demasiado dispersas como para concentrarse en un mosaico de palabras. Y para decirlo todo: los escritores contemporáneos son, por su parte, muy volubles y condescendientes con todo. No se entregan a muerte, como se entregaban los escritores de antes.

Las maneras de seducir al lector varían de unos escritores a otros. Existe la conquista manifiesta en la que el escritor confiesa a su compañero de escritura las horas felices que pasará en su compañía. Y existe también la conquista encubierta. El escritor dice escribir independientemente de si después leerán o no sus libros. «Ya vendrán a buscarme», parece reafirmar en cada uno de los puntos y aparte de su texto, si es que por consideración al lector se aviene a utilizar este cansado signo lingüístico.

Joyce no. Joyce era diferente. Que su relación con el lector fuera desconsiderada, con ser reprobable no es, como hemos visto, una actitud literariamente incivilizada. Todo lo contrario. Según parece, a mayor ambición vanguardística del autor, más licencias sintácticas, gramaticales y semánticas se permite con el lector. Joyce todavía va más allá de lo esperado en todo escritor con ínfulas intelectuales. Joyce convierte al lector en un enemigo y lo trata con la misma displicencia y animadversión con la que acostumbra tratar a sus enemigos.

Joyce es el gran especialista del sadismo literario. El movimiento sadista (joyceano o postjoyceano) acuerda aprobar que a la pregunta: «¿Para quién escribes?», la respuesta aceptada, con diferentes matices para cada caso, sea: «Para fastidiar al lector».

La reflexión que nos conduce a formular esta hipótesis se desarrolla del siguiente modo: el lector espera de un autor que lo distraiga, lo complazca y, si no es demasiado pedir, contribuya a ampliar sus conocimientos. Ante esa evidencia, el escritor sadista se dice: vamos entonces a ofrecerle lo que busca pero a costa de torturarlo, cuantas veces sea necesario, con la entrega de lo contrario a lo que desea. Sólo los escogidos encuentran lo que buscan. ¿Eres tú, lector, uno de ellos? Primer desafío del escritor sadista.

Segundo desafío: ¿Es el escritor sadista un simulador o un fraudulento? ¿Es todo escritor, sadista o no sadista, un auténtico camelo?

Además, el escritor sadista es aquel escritor que se niega a escribir para otro que no sea él mismo y se aviene a despreciar a cualquier tipo de lector común pues lo considera un escritor frustrado que disfruta, sin embargo, del privilegio de ejercer el derecho a la lectura, cosa que el escritor despreciativo no puede hacer en ese momento, ya que se encuentra ocupado escribiendo el libro que el lector está leyendo. Cuando, en realidad, lo que le gustaría es, en vez de escribir, leer cuanto él ha escrito dentro de un objeto llamado libro, leer su propio libro como, con toda seguridad, está haciendo ahora el lector con el suyo o el de otro autor elegido. El escritor sadista, en lugar de leer páginas y más páginas de otro escritor que no sea él mismo, se enfrenta con una montaña de hojas blancas de las cuales por un maldito ejercicio de voluntad vocacional, se siente responsable. El escritor con ambición de escritor tiene el deber de despreciar al lector por pura y sencilla envidia. Sin ningún esfuerzo de su parte (el esfuerzo de escribir es siempre tremendo), el lector está disfrutando en este momento de aquello que más desea el escritor que escribe. Con lo cual, el escritor sadista considera una aberración y un hecho fuera de lo literario la opinión de aquellos escritores con vocación de sacerdotes de las letras que son capaces de cualquier cosa con tal de que el lector sea feliz con sus libros, aunque no los lean y los usen como objeto decorativo. A los sadistas (y señalo que el término tiene poco que ver con Sade, el pornógrafo, y mucho con Sade, el freudiano) no les importa que estos escritores «pro lector» no digan la verdad. Por otra parte, ningún escritor, sadista o no, dice la verdad. A los autores sadistas les conmueve que los escritores que dicen estar entregados en cuerpo y alma al lector ignoren de sí mismos el desprecio absoluto que sienten por el lector. Es más, desconocen que su deber como escritores es despreciarlo.

Puesto que el lector espera que el libro al cual ahora está dispuesto a entregar su vida lo mantenga aislado del mundo, el escritor sadista debe ofrecerle basura a cambio y dar así razón al lector apresurado para que cierre el libro y se vaya con la música a otra parte. El escritor sadista es, por antonomasia, un terrorista de cualquier teoría de la comunicación.

Ahora bien, puede suceder que al lector le interese esa

mal supuesta basura y termine tragándosela entera o por segmentos. ¿Ha disfrutado en este caso el lector leyendo tal basura? El lector, con la obra sadista de este escritor en concreto, ha conseguido algo más que pasar el rato. En cierta manera, se ha peleado con el autor. Ha decidido plantar cara a la envidia del escritor con respecto al lector. Ha sucedido algo grande. El autor sadista se siente satisfecho. La alianza entre ambos será eterna y esas alianzas entre libros y lectores son las que contribuyen a construir la buena literatura; que es, en efecto, como ya se habrá podido adivinar, la literatura sadista.

La verdadera causa que invita a sospechar del libro que a poco de publicarse, o antes de ello, se ha hecho ya famoso es exactamente ésta. No ha tenido el tiempo suficiente de crear la suma de alianzas para que un autor sea un autor y no un mero monigote de la escritura. Alianzas, dicho sea de paso, que es imposible que cree nunca. El libro famoso antes de hora por haber creado un sinfín de complicidades con el lector no es propio del escritor sadista. Y lo peor que le puede suceder a un escritor, según un autor sadista, es provocar un sentimiento de complicidad en el lector. Crear una alianza (así Joyce) es todo lo opuesto a propiciar una complicidad (así tantos otros). Joyce también perseguía la fama antes de que fueran publicados los libros que supuestamente debían dársela, pero él lo conseguía con ofrecer más basura al lector. Al lector que pide distracción, Joyce le entrega un revulsivo. El lector serio, aquel incapaz de mantener una alianza con el escritor sadista, pensará que el autor le está tomando el pelo. «¡Qué se habrá creído ese mequetrefe!», dice el lector serio. Y cierra el libro. Y pierde así otro texto único de la historia de la literatura. El lector voraz da la bienvenida a la basura sadista, pero es obvio que no se la traga como parecería ser su estilo. El lector voraz es el típico lector de frases sueltas e ilegibles, a lo sumo de medias páginas de libros excelsos. Elige una frase de James Joyce y dice para sí: «¡He ahí un genio!» Y no va más allá. No puede terminar el *Ulysses* y menos aún puede sobrepasar la página veinte de *Finnegan's Wake* a no ser que sea un crítico o un estudiante redicho de tercer curso de Germánicas. O sea, una mezcla de intelectual y esnob que lea el *Ulysses* como quien devora un manual de mecánica. El *Ulysses* (y ya no digamos *F. W.*) es inagotable. No cabe en un espacio de tiempo de lectura limitado. El propio Joyce exige al lector que le dedique toda una vida o más para su lectura, y al crítico, que viva trescientos años para comprenderlo. Así actúa el lector voraz. Una frase hoy, otra la semana que viene y así sucesivamente. Los enigmas que encierra cada frase voraz no se molesta en descubrirlos. Con menos motivo, está dispuesto a vanagloriarse de ser uno de los pocos que, a su manera, han leído *todo Joyce*. Y probablemente tenga razón pues en cada lector sadista hay algo de crítico, algo de estudiante presuntuoso y mucho de esnob impenitente.

El lector sadista ha superado la fase de púber de tener que apuntar en cada ocasión en que Joyce surge como tema de diálogo la aclaración siguiente: «Me quedo con el monólogo de Molly». Y los iletrados ponen cara de no haber entendido bien lo que le ocurre a Molly. Unos creen entender «el monóculo» de Molly. Otros, cualquier otra cosa obscena que le sucede a Molly en alguna parte de su cuerpo. El término *Molly*, por ser nombre de heroína internacional, no supone ningún tipo de problema de entendimiento. Más bien, lo agrava.

El escritor sadista es un excelente propiciador de este género de equívocos. Los títulos de sus obras se prestan a ser confundidos con nombres de detergentes o bálsamos hidratantes.

Por último, sólo me resta aclarar que a diferencia de otro tipo de escritores, el escritor sadista jamás se suicida. Rara vez un verdugo se da muerte con su propia horca. Por el contrario, suelen hacerlo sus víctimas. A propósito de las desgracias que pueden suceder a quienes comparten su vida con un escritor sadista, ya me he extendido en páginas anteriores.

Joyce fue uno de los mejores ejemplos de escritor sadista. Se divertía enormemente mientras escribía sus novelas. Sus textos pretenden hacer reír al lector, lo que es muy distinto de divertirlo o de hacérselo pasar bien en su compañía. Y llegamos con esto al gran peligro que corre el escritor sadista: puesto que sus obras resultan mucho más divertidas para el escritor que las escribe que para el lector que las lee, el autor corre el peligro de llegar a quedarse sin lectores de ningún tipo. Porque incluso los lectores que no leen al escritor sadista, pero lo consideran y respetan, pueden dejar de hablar bien en público de este escritor celebrado cuando comprenden que detrás de las palabras *coño*, *mierda* y *paños menstruales* no existe ni siquiera experimento literario. Un escritor sadista que goza de la particularidad de ser más comentado que leído debe saber mantener su fama. Joyce, en este sentido, sigue siendo insuperable. Dio muerte al lector. Fue su verdugo. Y a partir de ese crimen, dado que el escritor ha olvidado para quién escribe sus obras y ha desestimado sin complejos aquellos ojos fieles que le siguen, el lector le ha pagado con la misma moneda. El lector ha desviado su atención de las obras del escritor sadista. Sólo se muestra interesado en su anecdotario más íntimo.

En vista de lo cual, escritor suicida, en lugar de obedecer tu primer impulso y darte muerte, harás mejor en contar tu vida.

La teoría de los números

L A CREACIÓN es redonda. Le parece a uno que en su cabeza, o bien en su vientre, el globo creativo va a explotar y que en esta explosión el creador va a perder alguna cosa. Antecede a la creación una apatía vital. Cuando uno se aburre, se muerde las uñas, busca manchas en el techo o, simplemente, queda perdido en el vacío; es posible que esto sea un aviso de que algo esencial está a punto de precipitarse. Ha llegado el momento adecuado para decidirse a crear un hijo, o bien, una obra literaria.

Es muy propio del escritor, una vez que el libro ya es de dominio público, no reconocerlo como salido de sus manos. Lo mismo le sucede a una madre con su propio hijo cuando son tantos los años transcurridos de su concepción a su segundo nacimiento. De ahí la forma tan grotesca de comparar un proceso de creación a otro.

Recordé por segunda vez que había salvado al hombre suicida. Y quién sabe si con el hombre no había salvado también a aquellos hombres que mi hipotético hijo habría matado en el caso de que en su caída hubiera tenido la mala suerte de pillar a algunos viandantes desprevenidos. Empecé entonces a preocuparme por una situación imprevista. Me dije que si me encontraba ante el dilema de tener que identificar al hipotético hijo, cómo iba a reconocerlo. Al rato me di cuenta de que el resultado nunca es tan importante como el proceso. Conocer el proceso creativo de la obra de un escritor resulta de un interés mayor incluso que leer su resultado, puesto que finalmente la diferencia entre la obra de un escritor y la de otro es mínima y apenas importante comparada con el modo en que uno y otro han conseguido llevar a cabo su obra, que es, en definitiva, su vida. Ambos procesos responden perfectamente a la pregunta «¿Cómo se hace un libro?» o lo que es igual en este caso, «¿Cómo se hace un hijo?».

Un libro, o bien un hijo, pueden ser el resultado de una simple operación matemática. Hasta los libros son tibios resultados de operaciones matemáticas. Incluso hay críticos literarios que se sirven de las matemáticas para escribir sus críticas. El más original de ellos, cuando pretende averiguar el grado de calidad de un texto literario, efectúa la operación siguiente. Extrae un fragmento de uno o algunos textos de autores que ha de criticar. Una vez terminada esta selección, realiza la misma operación con fragmentos de autores que merecieron el honor de recibir una buena crítica en su día y por esa razón son ahora escritores consagrados. El crítico literario al que me refiero procede entonces a efectuar la combinación de las frases y fragmentos de los textos de los autores noveles o dudosos y, una vez acabada la operación de conjuntos literarios, si los autores noveles aguantan su tono y su textura, entrelazados con los vocablos escritos por celebridades literarias, significa que merecen la pena ser considerados en el espacio artístico conocido hoy por literatura. Los frag-

mentos de autores desconocidos que, junto a los retazos de
textos clásicos o ejemplares, flaquean, disgustan o chirrían
son los que dan testimonio de que el autor en concreto debería deshacerse de la obra, escribir otra, no escribir ninguna, o bien, dedicarse a cualquier actividad distinta de la
literatura; como, por ejemplo, dedicarse a la crítica, sugiere el tal avispado crítico literario. Ha sido el propio crítico quien se ha ocupado de patentar ese método de diag-
nóstico literario, no sea que otros críticos menos avispados
se lo copien. De ese modo, el escritor que no ha superado
la prueba matemática de combinación de fragmentos y ha
sido desestimado del conjunto de autores conocidos, si tuviese la intención de curarse en salud ejerciendo la función de crítico literario le será imposible reproducir el
original método matemático de selección y disuasión de
autores. Deberá ingeniárselas para inventar otro procedi-
miento eliminatorio, para lo cual las matemáticas resultan
imprescindibles.

Un libro, así como un hijo-libro, se produce a fuerza de
engañar con las palabras. El escritor que pretende decir
toda la verdad en un libro más vale que dedique su vida a
hacer de crítico. Y, sin embargo, escribir la verdad sigue
siendo la característica más importante de un escritor. Esta
disparidad creadora, ese ser y no ser creador de un libro,
o bien, de un hijo infunde a la lectora la duda de si tuvo
un hijo o eso que llama hijo es un libro olvidado por la
lectora. La cuestión es que hay un hombre que acaba de
sobrevivir a un intento de suicidio y que podría ser hijo o
no de la lectora.

El hombre-libro se encuentra al borde del colapso debido a esta situación que no le permite saber exactamente qué tanto por ciento de su mente es hombre y qué es libro. Por el momento, parece haberse olvidado de sus intentos suicidas. Es hora, entonces, de llevar a cabo una investigación seria y concienzuda para la busca del escritor anónimo. Pongo manos a la obra y procedo con el rigor requerido en tales ocasiones. Empiezo preguntándome por qué coloco cada palabra en este lugar en concreto y no en otro; sobre el efecto que pretendo causar con las palabras; qué idea quiero expresar en la primera frase de cada uno de los meditados capítulos de tal libro; a quién quiero sorprender con tal historia; de quién procuro vengarme con la intromisión de ese desgraciado personaje...

Mi investigación puede empezar, por ejemplo, del siguiente modo:

En la tarde de un día lluvioso de noviembre decido dar por fin con el escritor suicida que tantas veces frustró su intento de tirarse por la ventana. Antes de salir en su búsqueda, reviso si dispongo del material necesario de trabajo. Mi mesa continúa en orden. En mi libreta de notas he apuntado los datos mínimos que he podido conseguir sobre el escritor suicida. La primera de estas anotaciones indica que puede tratarse de Franz Kafka o de otro Kafka también escritor y comparable al primer Kafka, autor de *La metamorfosis*. En la segunda nota tengo señalado que puede tratarse del auténtico Joyce. O bien, en el tercer punto surge la hipótesis de que pueda ser mi hijo o el hijo hipotético de la lectora. En la tercera ficha de mi archivo de datos literarios tengo escrita la siguiente frase: «Resulta menos grave la existencia de un escritor anónimo que la posible y frecuente circunstancia de que ese escritor viva una vida anónima».

A mi izquierda, con sólo girar la cabeza, puedo ver todos los textos fundamentales de los escritores malditos. A mi derecha se encuentran los bendecidos por los hados y la crítica. Gracias a ese orden, no me supone conflicto alguno dar con el lugar en donde debería situar la vida del escritor anónimo a partir del momento en que dejara de ser anónima.

Para empezar, debería buscar un texto, una obra, aunque fuera pequeña, del escritor suicida o encontrar al escritor suicida para, a partir de él, remontarme a sus orígenes y sus textos. Más razonable parece que me decida a seguir el segundo camino, puesto que la consecución del primero sería inviable. ¿Cómo encontrar un texto que carece de autor, carece de origen y, por tanto, de sentido? Sin embargo, el desafío me tienta.

Miro de arriba abajo mi colección de libros con la esperanza de dar otra vez con el desconocido mientras relata su última experiencia de suicidio. Como es de esperar, nada veo allí que me recuerde su existencia. Apenas una sola pista puede ayudarme a encontrarlo, si es que en mi destino está escrito que lo encuentre. Se trata del manicomio, un lugar donde acostumbran recluir a escritores sin biografía. Allá me dirijo con todo mi equipo de trabajo. Mi mesa ordenada, mis archivadores, mis libretas de hojas blancas y mis preguntas.

En mi bolsillo, una cita:

«Perdido en este mundo despreciable, repudiado por las masas, soy un extenuado, cuya mirada vuelta atrás descubre en la fuga de los años sólo abuso y desengaño y que tiene ante sí únicamente una tempestad que no trae nada nuevo».

La charlatanería del genio

E L DÍA decididamente no acompaña. Llueve a ratos y, según tengo leído en algún manual sobre enfermos psicópatas, la lluvia deprime y neurotiza todavía más a los oficialmente considerados como neuróticos o depresivos. Mientras venía hacia aquí he pensado en otros lectores más afortunados que yo por haber sabido aprovechar la posibilidad de buscar sus personajes en lugares más amables. Daría cualquier cosa porque me fueran útiles espacios geográficos como Katmandú, Trieste, Florencia o hasta el mismo infierno...

Se ha dado al manicomio apariencia de limbo en donde las almas, más que castigadas a esperar, ignoran lo que aguardan. El castigo del limbo es la duda y la ignorancia. Un texto en blanco. En el manicomio hombres y mujeres se encuentran desesperados por motivos más profundos que el simple encierro, lo que de por sí ya es un buen motivo de desesperación.

A poco de entrar en el jardín que rodea el edificio de los locos me ha asaltado el clásico temor que se apodera de todo visitante, de si una vez allí no habrá algo, alguien, que se ocupe de interceptarle la salida. La duda de si no soy yo la loca que engaña a su cordura con una simple visita a un manicomio.

Trato de protegerme y reprimir todos los tics y elementos extraños de mi cuerpo que pudieran hacerme merecedora de sospecha. ¿Cómo puedes demostrar que no estás loco sin lograr en el intento parecer más loco todavía? ¿No será el temor a la locura la forma menos sabia de estar loco? Me da la impresión de estar realizando un ejercicio inútil. Una especie de deporte del comportamiento. Además, tengo la insana costumbre, que ahora trato de evitar a toda costa, de quedarme embobada mirando descaradamente al primero que pasa. Por lo general, los escritores observan con disimulo y toman notas. Mi caso es otro. Me cuesta aparentar que no miro a las personas que pasean por el parque, ya que lo habitual en mí es clavar los ojos en la especie humana de una forma que resulta insultante. A decir verdad, miro a la gente con la mirada de una loca. También he oído decir que los locos no soportan ser el objeto de atención de los que no lo están. Así que procuraré distraer mi curiosidad con algo. O trataré de mirar menos, lo que me parece una actitud inconsecuente para una lectora. O mejor: decido que voy a convertirme en loca. Y doy rienda suelta a mi manía de morderme las uñas. He leído que un 83% de los enfermos mentales tienen la obsesiva costumbre de morderse las uñas. Para compensar, opto por subrayar mi aspecto serio, mi pelo recogido en una especie de moño improvisado, el chubasquero abrochado hasta la nuez, no vaya a ser que despierte en algún enfermo temibles instintos ocultos. En mis manos un lápiz y una libreta de notas. Con ellos hago como que distraigo mis ojos y mis uñas. En realidad, no me pierdo ni una mosca.

Ya estoy en el jardín. Pese a la ligera lluvia, decido sentarme en un banco de piedra, en donde permanezco quieta y a la espera de una cara más o menos conocida que me invite a asociarla con el escritor desconocido. Y por si acaso, continúo tomando notas. No muy lejos de mí, un hombre me ha estado observando con un descaro mayor del que yo haya podido demostrar nunca en situaciones parecidas. También se oculta en un abrigo largo y oscuro y me mira con insistencia por encima del cuello levantado hasta la nariz. Advierto un movimiento nervioso bastante especial en ese hombre. Vuelve continuamente la cabeza siempre hacia el mismo lado para, acto seguido, fijar la vista en mi persona. Y después, cosa inaudita, el hombre da un salto enorme, o así me lo figuro, y lo tengo a mi lado.

Digo: «¿Quiere sentarse?».

Dice que no con la cabeza. Parece tímido. Esconde sus manos en los bolsillos del abrigo. Su actitud es amenazadora pero prefiero creer que puede tratarse de una buena persona. Da la impresión de que quiere hablar conmigo, decirme algo importante, ya que mira a uno y otro lado como si alguien le prohibiese hacerlo. No hablará mi idioma, me he dicho, puesto que también es natural que haya locos extranjeros. Sus ojos son perseverantes. Y creo que está enfadado. Su cabeza no cesa de ir de un lado a otro mientras agita su cuerpo y sus hombros como si se preparara para iniciar una carrera o emprender el vuelo.

−¿Decía algo...?

Por lo visto, he acertado en mis premoniciones. El hombre, sin pensárselo dos veces, empieza a lamentarse:

−Me utilizó −se queja−, se sirvió de mí, como se sirvió de todos, me engañó.

Parece estar muy enfadado.

—¿A quién se refiere?

—A quién va a ser —dice de golpe—. Un farsante. Siempre andando con misterios...

Estoy sobre una buena pista. Me animo y le pregunto:

—¿Se refiere al escritor?

El hombre baja la cabeza. Sigue protestando: un impostor, un viejo idiota, un arribista, un falso poeta.

Ese hombre no ofrece ninguna explicación a su sarta de insultos. No me queda sino asentir a sus reproches contra el falso poeta. Luego me iré, pienso para mí.

Con todo, voy y me lanzo:

—Busco a un escritor.

—Lástima que no pueda ayudarla. Hay hombres poetas y otros que sólo escriben poemas —ha dicho sin dejar de mover la cabeza.

—¿Es usted poeta? —pregunto ahora más tranquila.

Ha dejado de llover. Tal vez la lluvia lo ponga de mal humor. Mal día he escogido para visitar a los locos. Más allá, dos personas parecen venir en dirección a donde estamos. De pronto cambian de rumbo y desaparecen entre los árboles. «Tal vez se trate de un loco peligroso...», me digo al fin. La verdad es que no me permite distracción alguna. Sigo mirándolo.

Y dice: «Soy parte del poema». Y al momento se contradice: «No, soy el poema. Y tampoco es eso cierto. Soy la excusa del mal poema», repite como un tonto. «Soy lo que no debe ser un poema. ¿Y sabe quién tiene la culpa?», me desafía y, sin darme tiempo a responderle, grita «Poe, claro está, Edgar Allan Poe...».

Vaya, por fin un nombre conocido, me digo más tranquila.

El hombre me da la espalda. Seguramente, quiere irse. Ha gastado todas sus energías en denigrar a Poe.

–Así y todo –le digo– a mí siempre me interesó mucho más como prosista que como poeta.

Y aquí ha sido cuando he empezado a comprender lo que el hombre dice. Está claro que no le gusta su papel de cuervo en el poema y mucho menos la filosofía que justifica y antecede al poema.

–Sus relatos son magníficos.

Esto no lo consuela en absoluto.

Y añado:

–Quizá tenga razón.

Poe quería convertirse en un escritor de éxito y sabía que jamás lo iba a conseguir escribiendo relatos por hermosos que éstos fueran.

Y como si leyese un epitafio labrado en el suelo, el hombre dice:

–No se propuso escribir un gran poema. Por el contrario, quiso escribir un poema que lo hiciera famoso. Y lo logró a mi costa.

Me da la espalda. Mira a uno y otro lado como si lo persiguieran. El cuervo se aleja.

–Espere un momento, no se vaya, se lo ruego.

No hace caso. Cuando vuelvo a suplicarle que se quede ya no hay rastro del hombre nervioso. El cuervo ha volado, prefiere que siga hablando sola y me convierta en otra chiflada del paraíso loquero. Así que recurro a mi libreta de notas y apunto:

Hoy he visto al cuervo. Hemos conversado un rato. Por un instante, he temido que viera en mí a una lectora fanfarrona y tan aprovechada como su dueño. Su poema es una jaula de la que nadie va a liberarlo nunca. Se trata de un cuervo inexistente. Aquel cuervo que visita al amante solitario para torturarlo con la idea de que nunca más volverá a ver a su amada muerta es solamente un cuervo visitante, aburrido y cansado. Padece la pesadilla de ser el protagonista del resumen del poema, que el poema no es tal poema, sólo la forma de escribir un poema, que la escritura no es sólo la escritura sino el método de la escritura. En conclusión: Poe consiguió inmortalizar su poema a costa de sacrificar al cuervo.

Louise c'est moi

ESTA LIBRETA de notas se ha convertido en mi coraza. Me sostiene. Me sirve de atalaya. Desde ese parapeto observo lo que ocurre a pocos metros de distancia. Como no veo a nadie, decido caminar un rato. He evitado la puerta principal del edificio y haciendo un rodeo me he dirigido hacia el ala izquierda de la casa. Ha sido entonces cuando al pasar por el segundo ventanal de la planta baja he sido sorprendida por una mano anónima que, junto a lo que me han parecido unos folios manuscritos, intentaba detenerme. La mano ha hecho el ademán de querer entregarme su tesoro y cuando voy a obedecerla y buscar la cara de quien me ofrece tal regalo, mano, papeles y persona desaparecen como por encanto. He estirado el cuello e incluso me he puesto de puntillas para perseguir la sombra y apenas he tenido tiempo de descubrir a un hombre joven que en nada recuerda a mi escritor suicida con la excepción, tal vez, de cierta facultad de desaparecer que caracteriza a ambos.

Puedo ponerme a correr, precipitarme en la casa en un rapto y dar con el extraño personaje que ha intentado ponerse en contacto conmigo. Y al fin me he dicho: Espera, mejor, a que llegue su momento. Lo que tenga que suceder, sucederá. «El genio no es otra cosa que una gran aptitud para la paciencia», decía Flaubert. Y esa decisión socrática me ha consolado de la pérdida de los papeles.

He continuado con el recorrido propuesto, atraída por la figura de una mujer medio incorporada sobre una mesa, hasta llegar a una especie de pérgola cubierta de hiedra. También he pensado que no me vendría mal disfrutar del jardín y olvidarme de los locos. Pero no es el paisaje lo que me interesa, aunque como jardín es impecable. He visto psiquiátricos que son auténticas prisiones. En el espacio destinado a los juegos al aire libre se suele ver un patio de cemento decorado con dos postes de baloncesto que invitan más a colgar la cabeza de uno de ellos que al juego desabrido de encestar la pelota.

La mujer que finge escribir una carta inacabable o una novela de mil páginas no se ha molestado en averiguar quién es la persona que la observa. El sombrero de paja la protege de miradas curiosas. Me asalta el temor de que esa mujer levante de repente el rostro y en su lugar me encuentre con una calavera. Se comporta como alguien acostumbrado a la compañía de visitas inoportunas que incomodan su tarea. Da la impresión de tratarse de una mujer amenazada por intrusos que interrumpen su trabajo. No hay cosa que ponga más fuera de sí a los escritores que las interrupciones en sus horas de escritura. Claro que un modo agradable de hablar con esta mujer sería el de mostrarme interesada en lo que está escribiendo. Me dispongo a hacerlo cuando veo que carece de los instrumentos oportunos para la escritura. Sobre la mesa sólo se mueven sus dedos que, cual si escribiesen palabras, trazan indescifrables signos en el aire. Me ha parecido más correcto hacer una pequeña variante a mi invitación al diálogo:

–Yo también escribo –digo y, acto seguido, para no violentarla, escondo bajo la mesa mi libreta y mi lápiz. Tampoco ésta ha sido una buena entrada. Por lo que recuerdo, pocas son las escritoras que se sienten a gusto ante una competidora.

La mujer me mira.

–Todos somos escritores –me responde.

Y, en efecto, le doy la razón. Callo, entonces, y me obsesiono buscando alguna frase que pueda interesarle. El silencio se prolonga unos segundos. Después dice:

–Estoy segura de que usted no ha llegado a conocerlo, pero no hay duda de que lo ha leído. En mi época él no era nadie. O poca cosa.

Me hace una señal para que me acerque. Arrastro mi silla hacia ella.

–La escritora fui yo, y no él –precisa–. Por aquel entonces decía que era un aprendiz de escritor y ahora lo extraordinario es que nadie se acuerda de ninguno de mis libros y, en cambio, los suyos están en la mente de todos. Claro que con este nombre mío, quién puede acordarse. Reconozco que no tengo un nombre que resulte bonito a la historia. Llamarse Louise Colet es casi como no tener nombre. Y el nombre, usted y yo sabemos, es el elemento primordial para convertirse en un escritor de influencia. Del nombre de uno nace la música elemental de las palabras. Con este nombre mío que carece de toda armonía musical debía haber desistido. Pero en la época en que conocí a Gustave Flaubert, París entero me alababa. Y además, leía mis poemas, lo cual era todavía más importante.

La mujer me toca el brazo. Me acerco más a ella, pero todavía con recelo. Me susurra al oído.

–La razón de que yo escribiera fueron ellos. No me importa reconocer que si yo escribía poemas era para que me fuera más fácil encontrar amantes escritores y, a poder ser, un marido como Flaubert. No sabe hasta qué punto he soñado con tener un marido escritor. Yo podía escribir y también podía amar a la vez, sin ningún problema. No tengo manías. Pero en cambio él se jactaba de lo contrario. Como hombre siempre fue un estafador. Amaba a las mujeres por correspondencia y se acostaba con prostitutas. Un hombre, en fin, igual a tantos otros...

Sonríe.

Le digo:

–La correspondencia amorosa que usted mantuvo con Flaubert es envidiable.

Ella me responde:

–No hablaría así si hubiera estado enamorada de un escritor que una vez que lo ha dado todo por conquistarla y lo consigue, le dice que no, que su verdadero matrimonio es con la literatura...

Le digo:

–Puede...

–Flaubert pretendía hacerme a su manera, quería que mis verdaderas angustias fueran literarias en vez de amorosas. Algo imposible de inculcar en otros. Los hay peores, los que escriben, por ejemplo, para ganar dinero...

Se calla y continúa:

–Se sirvió de mis exigencias amorosas para construir con ellas a la protagonista de su mejor novela.

Lo dice sin rencor. Un poco de tristeza en sus labios. Se ha quitado el sombrero de paja. Lo coloca con cuidado encima de la mesa. Le señalo que a mí no me resultaría difícil ver al escritor Flaubert cumpliendo como un buen padre de sus hijos e incluso como marido. Flaubert siempre me ha parecido uno de esos escritores con familia propia.

—Me gusta lo que ha dicho —contesta más aliviada—. Ver a Gustave Flaubert haciendo de padre y esposo, ¡quién la oyera! Al principio la confundí con una de esas escritoras que se llenan la boca con la sola pronunciación de esa palabra mágica. Que con esa palabra justifican cuanto hacen o dejan de hacer. Como si la profesión de escritora las redimiese de no tener hombres ni amoríos.

Louise Colet me parece honesta. No esconde, por ejemplo, que sus premios literarios, pues fueron muchos los que le otorgaron por sus poemas, se los regalaban sus amigos académicos a la espera de convertirla en amante.

—En mi época, puede creerme, yo fui una poetisa famosa. Colaboraba en varios periódicos. Tenía como amigos a los más prestigiosos intelectuales, artistas y políticos de París. Me llamaban la Musa. Fui bella, puedo asegurarlo. A los cuarenta años estaba considerada como una de las mujeres más hermosas de Francia. Pero la belleza está reñida con la literatura, puede creerme. Demasiados éxitos para una mujer. Situada ya en la celebridad, quién se ocupa entonces de escribir libros hermosos.

Todo esto dice sin mirarme, ocupada como está en que una pluma invisible registre todas sus palabras. Intento convencerla de que no es necesario que se moleste, que para eso estoy yo, para tomar nota de cuanto va diciendo.

—Debo escribir —me responde—, es preciso que lo haga.

Le pregunto si escribe para intentar remediar su mala suerte con la posteridad.

—Una se puede quejar de buena suerte —dice—. Una puede quejarse de ser apasionada. Y la pasión no es una buena compañera para un escritor con ambiciones. Hubo otros escritores, además de Flaubert. Otros amantes. Pero a quién le interesa saber que Louise Colet fue la amante de Alfred de Musset, de Vigny y del gran Victor Hugo. De eso me quejo. Por esa razón es que me encuentra aquí, escribiendo, todo el santo día...

Y luego añade con voz aflautada:

–¡Mis poetas...! Una manera tan respetable como otra de amar la literatura.

Después, continúa:

–Hice mal en suponer que la intimidad con esos grandes escritores contribuiría a elevar la calidad de mis escritos. De cualquier manera, sé esperar a que llegue mi momento. A veces han de pasar muchos siglos y hasta una eternidad para que la historia vuelva a colocar las cosas donde se merecen.

Y se pone a reír como una niña.

Le digo que sí.

Mientras tanto, pienso que hay talentos que no se habrían dado con tal magnitud de no haber podido mantener una estrecha relación con aquellas personas preparadas para protegerlos y cuidarlos. Se me ocurre, ahora mismo, Beckett, secretario de Joyce. La lectora saca a colación al pobre Beckett para cualquier cosa. Es un escritor comodín, capaz de salvar cualquier historia. Pero pienso también en Eckermann, la sombra deprimida de Goethe.

La mujer no da la menor señal de conocerlos. Luego he descubierto que se estaba refiriendo a hechos más prácticos y concretos.

–Mis amantes escritores solían ser mis colaboradores literarios. Corregíamos conjuntamente mis versos, mis novelas... Especialmente Flaubert. No hubo poema mío que él no retocara y del que no diera su versión definitiva.

Le digo que tiene muchos puntos en común con George Sand. Cuando menos, comparten a dos grandes escritores en sus biografías.

La comparación no le gusta.

–Se me ha reprochado un exceso de autobiografía en mis novelas, pero, como puede apreciar, no he sido la única. Por otra parte, Flaubert decía que el estilo de George Sand era sentimentaloide. «No escribas –me decía– como esa mujer; su obra rezuma, y la idea se escurre entre las palabras como entre unos muslos sin músculos». Me honra confesarle que fui bastante más amada por Flaubert o por el mismo Musset que ella. Llegó un momento en que tuve que decidir entre amar a uno u otro. De esta indecisión nació mi novela más famosa.

Me he imaginado al *tout* París de aquella época impaciente por leer la novela de esa escritora que cuenta sus historias amorosas y sentimentales con dos célebres escritores.

–La literatura, por mucho que se empeñen los burócratas ilustrados, nunca dejará de ser la crónica sentimental de los autores que la escriben. Flaubert, sin ir más lejos, también necesitaba alimentar mi amor, provocar aquellas terribles escenas de odio y abandono para poder incluirlas en sus libros. Nunca comprendió mi deseo ferviente de tener un hijo suyo. De nuestro amor él quería libros y yo, en cambio, deseaba hijos. Cuando lo nuestro se acabó, se desvaneció también el deseo de escribir libros.

En este punto de la conversación recordé a mi amiga escritora, la que va por el mundo orgullosa de haber tenido tres maridos escritores. Se parecen bastante. Tan iguale son, que hasta me he preguntado si no se trataba de la misma persona. Louise Colet resulta algo más cursi y más beata. Me he dicho que los escritores siempre tenemos nuestro doble. Y mientras me preguntaba cuál sería el mío, el temor a suponer que fuera el mismo escritor suicida que estoy buscando me ha empujado a levantarme de la silla con una brusquedad de movimientos que ha asustado a la pobre señora.

—Voy a telefonear a una amiga —le digo de pronto, y esta fórmula para salir del paso me ha parecido la despedida perfecta y muy apropiada al momento.

La mujer ha seguido haciendo garabatos sobre el cristal de la mesa.

El elegante gesto del suicida

HE OPTADO por elegir un camino que me devolviese directamente a la casa con la idea de encontrar al joven que tenía el aspecto de ser mi escritor suicida y que de forma tan misteriosa intentaba endosarme sus papeles. Aunque tampoco sería extraño que en este manicomio vivieran varios escritores suicidas, me decía para mí mientras paseaba. Y el joven de antes habría muerto sin darme tiempo a que me hiciera con su legado literario. A decir verdad, sería lo que corresponde de un manicomio destinado a dar cobijo a los suicidas. Y, al llegar a este resultado, me he desanimado un poco.

Tengo los pies húmedos y empieza a hacer frío. Desconozco además cómo salir de este lugar de locos. «¿Cómo puede escapar uno de su propio cerebro?», me he preguntado sin desesperarme. Hasta ahora, soy lo más parecido a una visitante. Viéndome caminar, nadie diría que cargo también con mi alma detectivesca. Todos buscan.

Y cuando he estado a punto de amilanarme por completo, segura ya de no encontrar aquí otra cosa que no sea mi imaginación enferma, he tenido la impresión de que

alguien me vigilaba de cerca. Y en efecto, en una pequeña explanada entre los árboles he tenido la certeza de que
una persona acababa de abandonar el lugar en el preciso
instante en que yo entraba. He oído incluso sus pisadas.
En un escalón de piedra sobresalía un objeto extraño. Y al
acercarme lo suficiente he podido comprobar que se trataba de los misteriosos papeles. «¡Por fin los misteriosos
papeles!» He mirado detrás de mí con la esperanza de que
nadie me hubiera descubierto hablando sola. Siento terror
a la posibilidad de hablar sola, sobre todo en un lugar tan
lleno de suspicacias como es éste. Por ningún motivo debo
dar indicio alguno de desequilibrio mental. Y por otro
lado debo tener cuidado de que el interés por parecer una
persona sin problemas mentales no resulte forzado. He recogido los papeles del suelo y al leer por encima algunas
frases los he atribuido, sin pensarlo dos veces, a la Musa
de Flaubert. Y ha sido entonces cuando he oído a mis espaldas un suave pero apreciable movimiento de hojas. Al
tiempo de girarme he podido adivinar la figura del joven
fantasmal que me vigilaba unos minutos antes. He grita-
do: «¡Eh...! ¡Oiga!» No ha habido respuesta.

He esperado unos instantes. Y luego, convencida de no
violar ningún secreto, me he dicho: «Está claro que ese joven sólo desea tenerme como lectora de sus textos». Y eso
es lo que me dispongo a hacer sin más preámbulo. Hay escritores tan obcecados con su oficio que lo único que pi-
den al resto de los mortales es ser leídos eternamente por
ellos. Estos escritores no hablan, no aman, ni siquiera escuchan lo que piensan sus lectores. «¡Léeme, por favor!»,
parecen estar pidiendo. Y tienes que leer páginas y más
páginas de esos escritores posesivos porque de lo contrario un buen día se suicidan y arrastran con su suicidio tu

171

posibilidad de leer a buenos y malos escritores. Ante una súplica de este tipo nunca suelo negarme. Así que allí mismo, pese a la humedad y la lluvia que acecha, he empezado con mi deber de lectora.

«La vida habría sido muy distinta para Klaus Mann de no haberme llamado Klaus ni Mann» escribe el propio Klaus Mann en lo que parece ser una escueta autobiografía del hijo el genio.

«Todo en mi vida ha tenido un significado», dice Klaus Mann, hijo de un padre literato.

«Lo mío, si es que hay algo mío en mí, siempre perteneció a mi padre, y ahora, cuando parece pertenecerme, tampoco puede ser mío si no es con referencia a mi padre.

»Mi nombre, sin ir más lejos, un nombre tan común como Klaus, es el que mi padre decide poner a su primogénito sólo porque se refiere a alguien muy particular, un amigo muy particular. Y esa anterioridad que a medias simbolizo es más importante que yo, que sólo soy su apéndice.

»Los lectores de Thomas Mann deberían preguntarse sobre el porqué Thomas Mann puso el nombre de Klaus a su primogénito, en lugar de perder el tiempo con tonterías estilísticas.

»El lector de Thomas Mann que lo haya adivinado será libre de opinar que fue un gran detalle por parte de Thomas Mann, poner el nombre de su primer amante a su primogénito. Nada sucede si el hijo es tonto y no lo descubre. Pero cuando el que se hace preguntas es hijo del mejor transformista del espíritu alemán no tiene otra salida que hacer honor a ese nombre y tratar de consolarse con la suerte de pertenecer, al menos, a la historia de ese nombre.

»Un modo de consolarse es decirte que no te importa nada que tu padre haya olvidado por completo la fecha del aniversario de su primogénito, el suplantador, y tenga muy presente, en cambio, la fecha del calendario en que tuvo lugar el encuentro con su primer amor llamado Klaus Heuser. No se engañe el lector viendo en esa suplantación un desliz romántico del maestro. Dar el nombre del amante prohibido a su primogénito obedece a una estrategia del Mago. Thomas Mann hizo todo lo posible por no engendrar rivales en su profesión de escritor. Qué mejor entonces que poner a su primogénito el nombre del amor oculto. El nombre de una sombra oscura para alguien destinado a personificar esta sombra oscura. Klaus era entonces el nombre idóneo para asignárselo al hijo mayor, al primer rival de un escritor, el hijo que pudiendo haberlo sido todo para superar al padre no podía llegar a nada, impedido como estaba por ese amor vergonzante que tan en secreto guardaba en su corazón el frío y calculador Thomas Mann.

»Un padre menos ególatra que Thomas Mann, menos viciado de sí mismo que vanidoso padre, habría asignado el nombre de Klaus al protagonista conflictivo de su novela *Tonio Kröger*, dando de ese modo al hijo la oportunidad de elegir la libertad de Tonio Kröger y no quedarse encerrado en un Klaus imposible. Un Tonio Kröger homosexual, drogadicto e hijo de Thomas Mann era lo que convenía al libro, y, en especial, al hijo, para no convertirlo en una caricatura de sí mismo o del amigo oculto.

»Por lo que a mí respecta, siempre quise ser Tonio Kröger y nunca Klaus Heuser. Quería ser como el héroe de la mejor novela de mi padre y me negaba a ser el hijo que quería como primogénito. Pero todo mi empeño fue vano.

173

El hijo del gran administrador de su fama, por mucho que escribiera Thomas Mann, jamás podría ser el héroe de aquella novela. Para conseguirlo, habría sido necesario que el héroe Tonio se aviniera a convertirse en hijo de Thomas Mann aunque fuera por un breve espacio de tiempo. Tarea imposible por varias razones. Primera, porque dónde se ha visto que los héroes de las novelas adquieran vida propia y se avengan a ser transformados en hijos de sus autores. Segunda razón, la poco agraciada personalidad de Klaus Mann que ni el bueno de Tonio Kröger habría elegido para sí, puesto que tratar de ser Klaus Mann es la tarea más innecesaria que un hombre, un héroe o un protagonista de novela pueda imponerse nunca.

»El gran escritor lo tenía todo perfectamente calculado. Todos sus hijos, incluida su esposa Katia, por ignorante que fuera, serían escritores. Sus cinco hijos y hasta la esposa del artista serían asimismo artistas. ¡Tanta era la luz que irradiaba el gran artista! Y todos ellos iban a ser unos escritores y artistas excelentes, pero de segunda categoría. Todos excelentes, aunque, por supuesto, dentro de una medianía, porque el escritor alabado de sí mismo, cuando quiere dejar constancia de que él es el único, el más grande, forma toda una familia de escritores. "Pues si todos, sin excepción, eran escritores —maquinaba la cabeza fría y calculadora de Thomas Mann— jamás surgiría de la familia envidiable de escritores uno que igualara en talento y sabiduría al Mago que los había engendrado". Por rebelde e indómito que yo llegara a ser, debido a ese nombre imposible que me soportaba, nunca sería capaz de igualar la sabiduría de mi padre. Por mucho que me importara escribir, y sabe Dios lo imprescindible que resultaba para mí la escritura, nunca podría llegar a la altura de mi padre, que era la de Dios u otro genio inalcanzable. Si me hubiera convertido en músico, tal vez entonces podría haber evitado ser comparado al padre de los escritores y al padre de los cinco hijos escritores. Sólo el suicidio me separaba del padre porque con la música, si fuera el caso, también habría sido comparado al padre. Los críticos utilizan la menor excusa, la menor frivolidad, para compararte al padre de los escritores y, pese al suicidio, los críticos no cesarán de buscar en mis escritos la relación existente con los escritos de mi padre. Que se abstengan los hijos y artistas frustrados de padres y artistas exitosos de ser ellos también artistas y menos aún de reclamar al mundo su existencia de artistas. Es una batalla perdida de antemano. Sólo el suicidio podrá redimirlos en parte, siempre y cuando el padre no haya tenido la insolencia de suicidarse antes. Cosa, por otra parte, imposible para padres y artistas exitosos que suelen morir de muerte natural, aguardando, se diría, la muerte artística de cada uno de sus atrevidos hijos.

»Envidio la suerte, sin embargo, de los hijos y artistas de padres y artistas frustrados pues son esos padres fracasados los que producen hijos y artistas aventajados que tendrán fácil la tarea de rivalizar con sus padres débiles y generosos».

Y es aquí donde el texto se interrumpe, seguido de una nota en la que avisa que continuará próximamente.

El joven fantasma supone que mañana voy a estar aquí dispuesta a leer otros tantos pliegos de sus hojas manuscritas. Páginas, por otro lado, escritas de un modo que nadie atribuiría a Klaus Mann, que ningún investigador en sus cabales asignaría al puño y letra de Klaus Mann pues no es nada propio de Klaus Mann escribir a la manera de

Enzensberger, Handke, Bernhard, aunque todos estos escritores alemanes, a fin de cuentas, se parezcan bastante en su modo agrietado de quejarse. Pero nunca de Klaus Mann, cuando siempre se distinguió (y castigó) por escribir novelas decimonónicas a la manera de su inimitable padre. Un padre, Thomas Mann, que ha engendrado una enormidad de hijos, todos escritores, como Handke, Enzensberger, Bernhard, que parecen haberse puesto de acuerdo en escribir de manera de poder denigrar al padre de todos ellos. Todos confabulados en escribir lo opuesto que imaginarse pueda a lo que escribía Thomas Mann, el padre de los padres. Porque hay escritores que escriben única y exclusivamente para desagradar en lo más hondo de su estima a pudientes e insoportables escritores. Y también los que querrían destruir al padre pero no lo consiguen porque, en el fondo, les disgusta creer que son hijos de insoportables escritores. Como Klaus Mann, contemporáneo de Kafka, de Joyce, de Virginia Woolf, que no es capaz tampoco de imitar a sus maestros en su odio contra el padre y no sabe siquiera escribir contra el estilo de Bernhard y apenas consigue falsearlo cuando pergeña con la pluma apuntes domésticos.

Aquí se encuentra, me he dicho entonces, lo peor que puede sucederle a un escritor: llegar a ser conocido por ser el hijo de un consagrado padre literario que, por otra parte, carece de hijos escritores con deseos de imitarlo.

Salir de aquí y abandonar, ha sido mi reacción inmediata cuando, a decir verdad, me estaba divirtiendo bastante al verme convertida de pronto en la lectora favorita de un escritor fantasma. Me imagino en una biblioteca de la cual soy la única lectora y en la que los libros aparecen y desaparecen. Es otra forma de contemplar el sanatorio.

¿Qué quieres decir exactamente con eso?

VEO a una pareja sentada en un banco. El hombre se levanta seguido por su perro. El perro da varias vueltas alrededor del hombre y, luego, hombre y perro regresan a su sitio. Creo que me ha visto. La mujer vuelve la cabeza y me descubre. Su perfil me es en extremo conocido. Pero me callo porque si digo que aquí está Virginia Woolf en persona sentada en un banco, nadie va a creerme.

Me acerco hasta colocarme delante de ellos.

—Esta noche he soñado con usted —le digo a la escritora. Finge estar de acuerdo conmigo. Me mira, mira al hombre y dice:

—Mi marido: Leonard Woolf.

Y el hombre del banco me saluda con la cabeza.

Luego, se levanta despacio y con la mano me indica que me siente junto a ellos. Me incomoda que estemos los tres pegados hombro con hombro. La conversación tiende a empobrecerse.

No sé cuánto rato hemos permanecido callados. Al fin, para romper la atmósfera de cuento inverosímil, hago la pregunta de costumbre:

—¿Qué siente una escritora al formar parte de una pareja de escritores? —suelto como quien lanza una piedra al aire por ver en qué tipo de blanco acierta.

El perro no se ha inmutado.

Es obvio que mi pregunta de lectora consumida los ha tomado por sorpresa. Por otro lado, poco de lo que digan al respecto puede asombrarme. Lo han dicho uno y otro por escrito innumerables veces. Basta con saber leer, aunque tampoco esto sea suficiente.

Leonard Woolf parece no haberme entendido. O bien, es muy inglés ese arte suyo de salirse por la tangente.

—Disculpe, ¿qué quiere usted decir exactamente con eso? —me pregunta.

Me avengo a explicarle:

—Hay un cuento titulado *Una pareja de escritores* que habla de la imposibilidad de tal empresa. Las parejas de escritores suelen intercambiarse reproches a través de sus novelas.

La Woolf sonríe y decide contestarme.

—Lo asombroso es que ni uno ni otro llegan a enterarse nunca de las atrocidades impresas que se lanzan mutuamente.

Y ha continuado:

—La literatura purifica. Hay casos en que la escritura convierte al marido escritor en el lector sublime de la mujer escritora, ya que de tan subjetiva que llega a ser su lectura, se vuelve enormemente objetiva.

Parece creer a medias en lo que dice. Está pensando, por supuesto, en St. John y en Hewet de *Fin de viaje*, en William Rodney de *Noche y día* y en Tansley de *Al faro*. Pero, por encima de todo, piensa en un tal Bartholomew de *Entre actos* en el cual no sólo se reconoce a Leonard, sino que además el personaje se le asemeja físicamente.

Por su parte, Leonard está recordando sus novelas y, en especial, los doce volúmenes de su autobiografía, escritos para difundir que su mujer estaba loca.

Tal vez hayan estado pensando en otros asuntos menos literarios. No lo creo.

—Me casé con Leonard para tener un lector particular —ha dicho ella—. No me imagino que pudiera ocurrir de otro modo.

No sé qué decir. ¿Cómo reaccionar? ¿Debo o no debo mirar a Leonard?

—Oh, no se preocupe por Leonard. Mi carrera de escritora es lo único que en realidad le ha importado en la vida. Se lo aseguro. Y todo debido a su sentimiento de culpabilidad judía. En el fondo de su alma nunca pensó que yo fuera una buena escritora. Mis textos debían parecerle demasiado absurdos para conseguir ser eternos. Además, siempre quería tenerme ocupada con algo. Mi vida dedicada enteramente a las letras le daba mayor independencia. Y no digo que fuera de una forma consciente, pero sí es cierto que él contribuía a exacerbar mi enfermedad, alentaba, por decirlo así, mi locura para que de ese modo yo continuara escribiendo. Una mujer sensata es lo último que Leonard hubiera soportado. Aunque todavía ignoro si era la escritura la causa directa de mi enfermedad o, por el contrario, era la locura el principal motivo de mi tragedia como escritora. De cualquier manera, estaba condenada a ser una escritora y una loca al mismo tiempo.

Suspira. Se arregla los pliegues de la falda.

—Leonard siempre ha tenido razón.

Pero Leonard ha desaparecido. Lo descubro un poco más allá dando vueltas con su perro.

Entretanto, sueño con un marido que fomenta mi locura con el único fin de convertirme en escritora.

Virginia Woolf parece haber adivinado mis sueños.

–Un marido que le repitiese que la única cosa que lo une a su mujer es la escritura y que en el momento en que usted dejara de escribir se divorciaría. ¿Eso querría?

No sé qué responderle, aunque digo que siempre es preferible disponer de un marido de esa clase a la desgracia de tener un hijo escritor que siempre está a punto de suicidarse.

–Un marido que escribiera un diario secreto sobre mi vida. Eso me gustaría de veras. Es un verdadero lujo.

Ella me advierte:

–Leonard escribía un diario en clave, no se olvide. Lo que significa algo escrito a mis espaldas. Un diario escrito para censurarme... Recuerde que yo estaba loca.

La interrumpo:

–Los lectores suelen equivocarse en casi todo lo que se refiere a la vida privada de los autores.

–Alguien, como por ejemplo Leonard, que pone en entredicho cada palabra mía, que analiza una a una todas mis frases de loca, de otro modo no habría sido capaz de escribir una línea. Si hubiera tenido hijos, pongamos por caso, no me habría sido posible terminar un solo libro y entonces también me habría vuelto loca. Es lo que dice Leonard.

Leonard Woolf ha vuelto a nuestro lado.

–Por casualidad, ¿no habrá visto por ahí al escritor suicida? –le pregunto.

Está absorto frotando la suela de su zapato sobre el césped. Mantiene las manos en los bolsillos de la chaqueta. Y mientras mira el sector de hierba aplastada, dice:

–También yo he sido utilizado. Lo que importa es quién saca mejor partido de ello.

–Di con un marido lector, enfermero y editor. Nunca pedí más –confiesa Virginia–. Los hijos tuve que tragármelos en los libros.

Leonard ha puesto cara de pensar que su mujer volvía a pronunciar otra de sus frases de loca. Pero esta vez ha callado.

–Se lo aconsejo. –Ahora Virginia me mira a los ojos–. Busque un esposo que lea sus libros, que cuide de su salud y que a poder ser se ocupe también de editar sus manuscritos. Luego déjese morir.

Leonard se muestra de acuerdo.

–Se imagina a Virginia Woolf yendo de aquí para allá, por todos los manicomios literarios del mundo, a la búsqueda de un escritor inútil, un todavía más inútil suicida, en lugar de permanecer sentada en su escritorio con una pluma en la mano e inventando historias.

El consejo de Virginia me parece exagerado. Tampoco he querido tomar partido por la intervención de Leonard.

El perro se pone a gimotear a los pies de su dueña. Ella le da permiso para que coloque sus patas delanteras sobre su falda. Mientras tanto, le acaricia la cabeza y dice:

–*Dinky*, mi pobre y buen *Dinky*.

Y luego, sin dejar de obsequiar al perro, dice sin mirarme:

–A partir de ahora me dedicaré a escribir vidas de perros. Lo tengo decidido... –Y ahora dirigiéndose a *Dinky*–: ¿No es cierto, *Dinky*? ¿Qué te parece?

Y *Dinky* se ha quedado mudo. De un salto ha ido a enredarse entre las piernas de Leonard.

El bebedor de palabras

L A SIGUIENTE aparición ha sucedido casi de inmediato y sin darme la posibilidad de meditaciones de
ningún tipo. Esta vez no he tenido que hacerme las
preguntas de rigor: quién soy, a dónde voy, qué estoy haciendo..., pues cerca de un estanque de agua turbia,
una mujer colocada detrás de un tablero atiborrado de ca-
chivaches armaba un alboroto terrible. Su aspecto era el
de una vendedora callejera que anuncia las mil y una ma-
ravillas de su original producto. La mujer grita desafora-
damente y a fuerza de escucharla con atención es como
uno aprende que ha montado todo ese tenderete ruidoso
con el único objeto de vender palabras. Eso dice y repite
a los escasos clientes que, como yo, nos vamos acercando
a ella y luego nos apartamos unos pasos como para dar
crédito a ese espectáculo extravagante. He conseguido
leer el letrero que anunciaba la venta, «El bebedor de palabras» decía el rótulo, y más abajo: «Se enseña, ayuda y
estimula a escribir toda clase de palabras». Y en seguida
he descubierto al hombre sentado y durmiendo, imperté-
rrito a los gritos de la vendedora. Me he preguntado si se
trataba de una especie de función o terapia de grupo que
los psiquiatras aconsejan a según qué tipo de pacientes.

Pero no, el espectáculo, por teatral que pareciese, iba en serio. El hombre dormía de verdad y la mujer aparentaba conocer muy bien lo que tenía entre manos. La cara del hombre me ha recordado a alguien muy conocido aunque difícil de identificar en aquel momento. A buen seguro que un escritor, me he dicho. Y me he quedado a presenciar el número de titiritero.

—Está borracho —dice la mujer cuando ha comprendido que no la miraba a ella—. Siempre está borracho. —Y añade, chillando de nuevo—: Aquí no tenemos en cuenta las flaquezas humanas. Por el contrario, nos ocupamos de transformarlas en materia creadora.

«Lástima que hable como una psiquiatra». Aunque también es verdad que los psiquiatras suelen hablar como vendedores ambulantes. Y demuestro ser un cliente interesado por la venta.

—Si, por ejemplo, usted —y me señala a mí— tiene la intención de convertirse en escritora y sufre como mil Kafkas para conseguirlo, sin éxito, Margie le proporcionará los instrumentos apropiados para ayudarle a explotar sus dosis de genialidad.

La literatura, por disfrazada que se presente, forzosamente ha de estar reñida con los tejemanejes de una mujer con tal aspecto de domadora de circo.

—Sus reparos son inadmisibles —dice atacándome—. No piense mal. Yo soy lo que escribo o lo que consigo que los demás escriban. Y no me doy aires de ser algo más importante, como hacen muchas.

Le pregunto si no habrá visto por ahí a un escritor suicida o a un hombre-libro o un libro que pretende ser un hombre.

—Vienen muchos así —dice la mujer—, pero le aseguro

que quienes vienen a buscarme siempre se van después de haber conseguido lo que quieren, aunque al final se maten.

Margie me recuerda a la dependiente de unos grandes almacenes. Pero ¿y el hombre?

Ahora la mujer me reta:

—La condición es creer. Creer o no en la literatura. Sí o no. Así de fácil.

No sé qué responderle.

Margie continúa:

—Para llegar a convertirse en un gran escritor, lo fundamental es creer en la literatura, y una vez puestos de acuerdo sobre este punto, lo demás marcha sobre ruedas. A sufrir como Kafka ya estoy acostumbrada. A los sufridores como Kafka les leo en voz alta lo que escribo.

Y sin pedirme si cedo a escucharla, la tal Margie arranca un papel de una libreta y lee congestionada:

«Estoy tan fatigada, tan fatigada, tan fatigada, fatigada, fatigada, nada me altera, salvo un apagado rencor que se inflama y se remueve de vez en cuando... Y odio, y repugnancia por arrastrarme a tratar de beber con él, y un odio a las botellas y agobio y una sensación de que mi alma se pierde, y todo mi apego a la vida. De pronto siento que no me dejaré conducir a ese deplorable estado, que recuperaré mi decencia y mi limpieza y mi amor, y al mismo tiempo me invade una desesperación tan completa y desgastadora que sólo deseo la muerte. ¿Por qué no me suicido? ¿Es un vago lazo de lealtad que me une a Malcolm, a quien debo amar pero ahora sólo odio y desprecio y temo?».

Luego dice:

—Con este fragmento puedo conseguir varias cosas.

Que vengan otros y lo copien. Lo cual no tiene ninguna gracia. Me puede ocurrir también no saber si este párrafo ha sido escrito por mí o bien por Malcolm. Pero lo esencial es que escribiendo estas banalidades consigo que el que tiene algo que decir y no puede porque está borracho, bloqueado o drogado, escriba finalmente.

Y Margie ríe. Está contenta.

En broma la llamo «la desbloqueadora de palabras».

–Ese hombre borracho es el genio mayor que han dado las letras universales. Se lo garantizo yo que, además de ser su mujer, he sido su editora y coautora. ¿Me cree ahora?

Malcolm Lowry (pues a estas alturas el lector se ha dado cuenta de que se trata de Malcolm Lowry) ni afirma ni niega. Duerme profundamente. «Ambos mienten», me digo. El hombre dormido, más que ella. Pero ella también miente a veces, aunque no siempre.

–Cuando Malcolm se niega a escribir y bebe y bebe durante meses seguidos, la solución consiste en convertirme en la escritora de la familia. De buenas a primeras me pongo a escribir, por ejemplo, una novela y cuando voy por la mitad de la historia insisto en preguntar a Malcolm sobre mi trabajo. Al principio, protesta y se niega a cooperar conmigo, pero poco a poco logro interesarlo por mi novela hasta que se mete en ella y no sólo me ayuda a terminarla, sino que decide por su cuenta ponerse a trabajar en su manuscrito. Éste, ya ve, es otro camino para llegar a ser escritora. Escribir tú para que escriban otros. Predicar con el ejemplo. Estrategias que funcionan, ni más ni menos, porque Malcolm tiene madera de genio, de otro modo yo no soy responsable si las cosas no salen como deben...

El genio ronca con grandeza. Desearía despertarlo y charlar un rato y tal vez me decidiría a hacerlo si no fuera porque dicen que no es bueno intimar con genios.

Margie sigue hablándome. Nos hemos quedado solas y acompañando a Malcolm.

—Ya habrá comprobado que éste es un manicomio distinto. Un manicomio a la inversa, podría decirse, en el que, a falta de loqueros que cuidan de destruir el genio, hay genios entregados a destruir loqueros. ¡Mire! —me dice ahora como para certificar su argumento—. Por ahí va un psiquiatra con aspecto de haber perdido el mundo.

No veo a nadie aunque también es verdad que este es un manicomio sin psiquiatras a no ser que éstos hayan decidido hacer el papel de locos.

Insisto a la mujer en que mi objetivo aquí es dar con el escritor suicida.

Eso no le gusta.

—Por supuesto, no se estará refiriendo a Malcolm, mi marido.

La convenzo de lo contrario.

Más tranquila, me invita a pasar tras al mostrador:

—Venga por aquí —dice—. Usted me ha caído bien y no me importa decirle que si me he creído capaz de montar todo ese tenderete ha sido para defenderme de los impostores. Hay quienes aprovechan un enfado con su mujer para suicidarse y que después se diga que han dejado la vida a causa de la literatura. Otros se matan por amor a las palabras, porque están borrachos de palabras. Créame, Malcolm Lowry, por ejemplo, pertenece a ese grupo. También habría podido asesinarme. Ése era mi miedo. Algunos escritores son auténticos asesinos. La literatura les permite cualquier cosa. Son aventureros a su manera. Están dispuestos a viajar al fin del mundo por razones tan literarias como pueda ser el capricho de conocer a un escritor que adoran. Una auténtica peregrinación para conversar escasos minutos con alguno de sus maestros. ¿Su escritor es de ese tipo?

No acierto a contestarle.

−Los escritores asesinos copian páginas enteras de sus textos favoritos, incluyen frases y a veces fragmentos enteros de estos libros en sus manuscritos. Por devoción, tan sólo. Copian por puro placer. Creen que de ese modo forman parte de la obra del escritor que adoran. Estoy segura de que su escritor no es de ese tipo porque si lo fuera ya sabríamos a estas alturas de quién se trata.

Mueve los hombros y mira a su marido.

−Tal vez no exista −digo pacientemente.

Margie parece convencida.

−Los escritores a los que me refiero no abundan. Son capaces de quemarse vivos por salvar un manuscrito suyo en una casa ardiendo. Así como lo oye. Mi marido Malcolm, cuando un incendio destruyó nuestra casa y quemó por entero su novela, estuvo a punto de matarse, y habría muerto si no lo llegamos a sujetar e impedir que cometiera esa barbaridad.

Se queda pensativa.

−Si se mira bien, han sido varios los escritores relacionados de una u otra manera con el fuego. Cuando en las casas se encendía fuego, Kafka y otros escritores quemaban sus manuscritos en sus estufas. Kafka habría dejado que el fuego destruyera su obra y el mundo se habría quedado con un Kafka menos. Cuántos Kafkas perdidos y cuántos hijos de Kafka tratando de escribir para restaurar los Kafkas perdidos.

187

Y al final concluye:

—Un escritor que jamás se ha visto amenazado por el fuego o no ha sentido la menor atracción de quemar sus manuscritos no es un escritor.

La biblioteca imperfecta

ME HAN dicho que vigile, que la noche está por caer y debo buscar un techo donde protegerme. Supongo que ha sido por ese motivo que me he decidido a entrar en la casa pues, en un abrir y cerrar de ojos, me he encontrado en el vestíbulo y sin nadie a la vista a quien dirigirme. He descansado un instante para quitarme el abrigo y mientras buscaba un lugar para colgarlo he elegido la puerta grande de los batientes que tenía enfrente pensando que debía de ser la entrada al salón principal del edificio en donde a estas horas todos se encontrarían sentados, charlando o viendo la televisión. También he temido que fuese una encerrona y, de pronto, me viera recluida en un lugar en el que cincuenta mujeres, por ejemplo, estuvieran sentadas en círculo, pendientes de mi llegada. Por un momento he intuido una trampa de esta naturaleza y cuál no ha sido mi sorpresa cuando, nada más abrir la puerta, me he encontrado con la habitación que llaman la biblioteca. Cuatro o cinco personas situadas de pie en una esquina han callado al verme entrar tan decidida. Al principio, no me he fijado en ellas. La biblioteca me ha distraído durante un largo rato. La luz de la tarde caía a través de un enorme ventanal con salida directa al jardín y daba a la biblioteca el color dorado de los retratos seculares. Las librerías de caoba tapizaban la habitación entera desde el artesonado hasta el suelo. En los estantes, los libros, más que dormitar, parecían revivir de golpe. La chimenea estaba encendida y junto a ella permanecía abierta la escalerilla preparada, se diría, para que alguien subiese a buscar un libro o terminara en ese instante de guardarlo. Ha sido entonces cuando he descubierto en una esquina al grupo de hombres quietos y callados.

«Ésta no puede ser otra que la Biblioteca de Walter Benjamin», se me ocurre pensar de pronto. El polvillo de madera que desprende la atmósfera es precisamente lo primero que me sugiere el nombre de su propietario. Y acto seguido no puedo reprimir el impulso de acercarme a una de las estanterías para comprobar si mis suposiciones son correctas. Cuando veo un libro o un conjunto ordenado de ellos, me gusta conocer en seguida el nombre de su propietario. El libro cobra entonces una relevancia nueva; se convierte en otro libro.

Olvidada de aquellos hombres que me observan en silencio, obedezco a mis impulsos de espía en bibliotecas ajenas. En primer lugar, doy con la estantería dedicada a grandes obras: Goethe, Proust, Kafka... Hojeo el volumen de *Les fleurs du mal*, de Baudelaire, y *Las afinidades electivas*. Puedo comprobar que se trataba de dos ediciones preciosas, pero, al observar el lomo correspondiente al volumen de Baudelaire, descubro el número 2090 que corresponde, en efecto, al código de lector de Benjamin. Lo mismo sucede con la novela de Goethe. Walter Benjamin tenía la meticulosa costumbre de anotar en cada libro que leía el número correlativo a su orden de lectura. Gracias a este hábito, no tengo ninguna duda sobre el lugar donde me encuentro y ya me convenzo del todo cuando puedo comprobar que la mayoría de los estantes de la biblioteca están ocupados por la colección inmensa de los libros escritos por locos. De Wolfson, Roussel, Artaud, Mallarmé o Brisset a otros cientos de autores calificados de dementes, pero éstos, además, del todo desconocidos del público lector. Aparto del estante el segundo volumen publicado por Wolfson, titulado *Ma mère, musicienne, est morte...* y con apenas dar la vuelta a la primera página siento el texto entero que grita. Un poco azorada, miro a uno y otro lado para ver si alguien se ha dado cuenta del sortilegio. Creo que ha sido el momento más misterioso del viaje.

He observado con disimulo el círculo de hombres que todavía seguían de pie y no cesaban de mirarme. Ninguno de ellos me ha parecido que fuese Walter Benjamin. Tal vez constituyeran una muestra de los autores locos de los libros que yo espiaba. Tampoco han mostrado intención alguna de detener mi asalto a la biblioteca. He continuado, pues, con mi infructuosa búsqueda.

Sin prisa, me he dedicado a inspeccionar libro por libro. En realidad, he vuelto a dejarme llevar por el desorden secreto de los libros en sus estanterías.

He dado con cosas inesperadas. Es posible que yo andara persiguiendo una biblioteca de locos y hete aquí que la Biblioteca de Walter Benjamin está especializada en ese tipo de autores. Escritores con la particularidad común de haberse decidido a publicar estos libros por la sencilla razón de que no existían en el mercado y los autores necesitaban tenerlos. Porque en todo escritor que se precie, solía decir Walter Benjamin, hay escondido un bibliómano impenitente, aunque su bibliomanía sea tan débil que no vaya más allá de la larga tarea de escribir un libro, vista la imposibilidad de procurárselo de otro modo.

Quién sabe las horas, quizá días, que he permanecido pasando revista a la biblioteca. Se dice de algunos que se volvieron locos de tanto leerlos. Cuando he vuelto en mí y a considerar fríamente el lugar en donde me encontraba, he recordado a las cinco personas quietas y calladas en un rincón mirándome en silencio. Allí siguen, invariables, como si no pasara nada. He contemplado la posibilidad de que mi escritor suicida fuese uno de ellos. Así que me ha parecido de lo más natural acercarme al círculo de curiosos ilustres y decirles tranquilamente:

−Estoy buscando a un escritor.

No han demostrado sorpresa alguna. Más bien se han mirado con cara de satisfacción como si en cada uno de ellos se encontrase aquello tan especial que yo andaba buscando.

El que tenía una apariencia menos tímida y, a decir verdad, menos enajenada se ha cuidado de hacer las presentaciones.

−Raymond Roussel −ha dicho, mientras señalaba a un ser de aspecto neurótico, apocado y deprimido.

El de su derecha ha resultado ser Italo Calvino y seguidamente me ha presentado a los otros dos escritores de rostro y nombre absolutamente desconocidos. A mí también me ha parecido extraño que Jorge Luis Borges no estuviese presente en un lugar en el que, si había algo digno de llamar la atención, era seguramente la ausencia del bibliotecario.

Me he sentido algo incómoda al no poder ofrecerles información sobre mi persona. Tampoco han manifestado un mínimo de curiosidad por averiguarlo. Parecían estar sumamente interesados en ellos mismos. Roussel se quejaba de no disponer de un minuto libre, atareado, como decía estar, en buscar palabras y relaciones entre palabras. Su objetivo era encontrar una palabra nueva, no gastada.

—Lo más interesante de mis libros es el proceso de creación de los mismos. Difícil, en extremo difícil...

Ignoro si he sabido comunicarle que entendía su problema ya que, por supuesto, conocía su obra por tratarse del escritor más desconocido hasta el momento. Y si algunos lo conocían era por ser raro entre los raros.

Y para demostrarles que estaba al día del método de escritura de Roussel me he puesto a tararear la estrofa primera del popular «porompompero» que cualquier turista sabe de memoria. Y acto seguido, de acuerdo con el método Roussel, he empezado a decir en voz alta:

«El cartero te da la mano
que vengan los reyes
qué pasa con tu mano», etcétera.

Me han felicitado y aplaudido, incluido el hombre que se ha ocupado de hacer las presentaciones y que por el momento seguía en el anonimato hasta que Roussel, tan preocupado de su fama póstuma, se ha dirigido a él para decirle:

—Señor Eckermann, usted debería hacer lo mismo que nosotros, acoplar palabras con acepciones distintas, de lo contrario dudo que alguien lo recuerde dentro de cien años.

El hombre sin ambiciones se encoge de hombros. Parece contento con su suerte. Tiene cara de lector satisfecho. Un lector saciado nunca escribe. Por algo son los escritores los perennes insatisfechos de la literatura.

Roussel ha insistido:

–Anote mi lema, Eckermann, aunque no le sirva. Diga conmigo: «Sangro sobre cada frase». Tal vez así aún pueda hacerse algo por su supervivencia.

En ese momento me he visto obligada a preguntar a Roussel sobre ese interés suyo por seguir sufriendo con la escritura una vez que se tienen ya todos los libros escritos y publicados. Interés que, por otro lado, he podido observar que sentían otros escritores en esta casa.

–Estamos en la cuerda floja –me ha respondido. Si el mundo deja de nombrarnos, desaparecemos. Así de fácil. Unos antes que otros, por supuesto.

Ha mirado a sus contertulios que asentían en silencio, ha aplastado su cigarrillo en una taza sucia que le venía a mano y ha continuado:

–Nos hemos reunido aquí, en la biblioteca de Walter Benjamin, para hablar de ello.

Habría jurado que desde mi entrada en la biblioteca no les había oído decir una sola palabra. Entonces he repetido como una autómata:

–No consigo soñar con Borges. Lo intento cada noche y no hay manera.

Los hombres de aspecto preocupado no han hecho mucho caso de mis justificaciones. Sólo Calvino me ha sonreído de ese modo suyo tan entrañable y luego ha dicho:

–No se preocupe. La decisión es lo que cuenta. Además, todos somos Borges, incluso el bueno de Eckermann...

Me ha dado la impresión de que el secretario Eckermann se ha ofendido. Se encuentra demasiado apegado a Goethe como para considerar a otro escritor que no sea su maestro. Se ha atrevido a preguntar: «¿Quién es Borges?». Y sus compañeros se han reído.

Ésta es la ventaja de tener secretarios en lugar de secretarias. Las secretarias terminan casándose con los escritores y evidentemente pierden sus aptitudes de secretarias. No conozco autor que en su fuero interno no haya deseado alguna vez disponer de un secretario de la talla de Johann Peter Eckermann.

–Para tener esclavos literarios –ha saltado bastante oportunamente uno de los dos autores desconocidos– es preciso que el escritor en cuestión dé muestras de un talento básico que le permita explotar las habilidades de aquéllos. Uno se pregunta quién hizo a Goethe y con la misma razón, quién se ocupó de construir a Eckermann.

Eckermann considera que es necesaria una aclaración de su parte.

–Nunca quise ser artista –dice–. A lo más lejos que ha llegado mi pretensión de escritor ha sido a la de crítico literario. El propio maestro Goethe me hizo rechazar, con razón, cuantas ofertas me hicieron para que me convirtiese en un descuartizador de textos.

Uno de los dos escritores desconocidos le ha replicado que prefiere desaparecer por completo de la historia literaria antes que perdurar en ella a costa de ser el *alter ego* de otro hombre. El otro escritor desconocido no ha estado de acuerdo. He creído entender algo así como que todos somos repeticiones de otros hombres.

–Pero no de otras mujeres –ha contestado el primero de los dos escritores desconocidos.

He notado cierto malestar en Calvino y eso me ha obligado a darme por aludida.

–¿Ésta es una biblioteca monástica? –he preguntado por si acaso, y a punto he estado de relatar una anécdota personal, cuando, con la ayuda cómplice de un monje benedictino, me introduje cual ladrona nocturna en la biblioteca de un monasterio y lo que sucedió cuando me descubrieron.

–George Sand estuvo aquí esta mañana pero ya se ha ido... –señala Roussel con cierto sonsonete. Luego se rasca la barbilla y añade–: Todavía no soy capaz de comprender cómo se puede ser la autora de 84 libros y atreverse a manifestar incredulidad en relación con la idea de que, para escribir, el escritor deba hacerlo en carne viva.

–Si los lectores de sus 84 libros –interrumpe Eckermann, sarcástico– ya la han olvidado, será porque quedaron hartos del banquete. Mi pregunta es qué ocurrirá con los autores de un solo libro, cual es mi caso.

Todos callan y me miran. Tengo la sensación de que es mi turno. Algo, tal vez este silencio a mí dirigido, me empuja a hablar. Se me ofrece la oportunidad de exponer lo que venía pensando hace un momento. Y, por fin, digo:

–Los lectores satisfechos nunca escriben. Son los perennes insatisfechos de la literatura los primeros en convertirse en escritores.

La estantería hipotética

PERO, mira por dónde, mi frase ha gustado a Italo Calvino. Me toma del brazo y me invita a apartarme algunos pasos del grupo. Desde que tuve la oportunidad de ver la cara de Calvino en una fotografía siempre he admirado su cabeza. Su calva en especial. La mente de Calvino me parece superior a la del escritor Calvino. Su inteligencia supera su literatura. Si hubiera que encontrar un inconveniente en la literatura de Calvino sería la falta de acomodación de su inteligencia creadora a la época en que le tocó escribir sus obras. Claro que todo esto es discutible e intercambiable. Hoy puedo pensar de ese modo y mañana mi opinión puede ser contraria. La literatura y sus contradicciones. Estas cosas me digo mientras paseo de pareja con Calvino por las estanterías de la biblioteca. Caminamos en silencio. Calvino ocupado en comprender mis pensamientos y yo distraída en ellos. Tan absorta estoy que sin darme cuenta me veo subida a lo más alto de la escalerilla de la biblioteca que ha crecido hasta obligarme a inclinar la cabeza bajo el techo. Me veo haciendo mil equilibrios para no caer. Mis manos codiciosas se despreocupan de mi cuerpo y hurgan en los estantes altos, y a punto de caerme de bruces, consigo hacerme con unos cuantos volúmenes, llegar a tierra y salvarme. Calvino sonríe desde abajo y me advierte que ha valido la pena correr el riesgo para obtener lo que guardo entre mis manos.

Ya en tierra y con los libros en la falda, me siento en el único sillón de la biblioteca. Me propongo echarles un vistazo mientras Calvino me descubre otro secreto.

—Estos libros —dice— son únicos.

Manifiesto mis dudas con los ojos.

—Es cierto —repite—. No hay en la tierra un segundo ejemplar de cada uno de ellos. Ni siquiera existe el manuscrito original, y tampoco el duplicado. Estos ocho libros de ocho autores distintos no existen en otro lugar del mundo que no sea su falda y sus manos que ahora los sostienen. No existen en ninguna otra biblioteca que no sea la biblioteca de Italo Calvino. Resulta imposible reproducirlos, copiarlos, repetirlos y ni siquiera imitarlos. Imposible también recordar el nombre de sus autores.

Trato de leer en las respectivas portadas el nombre de cada autor y mientras leo y vuelvo a leer de nuevo, tengo una sensación extraña, disfruto de lo que ninguna otra lectura de ningún libro único y maravilloso me concedió antes. Así cada autor de las páginas que tengo ante mis ojos podría equipararse a Dante Alighieri sin ser de ningún modo Dante, el otro podría recordar a Ludovico Ariosto sin serlo en absoluto, y otro a Safo, y otro a Homero; y no son, desde luego, ni Homero, ni Virgilio, ni Shakespeare ni Cervantes. Podrían serlo y son, sin embargo, otros escritores cuyos nombres, cuyos textos tienen la misma magia que los de los autores inmortales. Al ser únicos e irrepetibles son, si cabe, más esenciales que los maestros sagrados, y más aún puesto que nadie, aparte de mí o del maestro Calvino, su descubridor, llegará nunca a conocerlos.

Me ataca la necesidad de leerlos. Si consigo leerlos, conseguiré también repetirlos. Si consigo leerlos, llegaré a ser la lectora de libros únicos e irrepetibles. Algo me dice también que si los leo me sentiré colmada de lecturas. Un libro que mate las ganas de leer libros. Eso es el libro único.

Estoy excitada.

Calvino me confiesa que estos libros han sido fundamentales para su trabajo literario. «Si es así —pregunto extrañada— ¿por qué he sido yo la elegida para verlos?». Me responde que ha ocurrido de ese modo por la sencilla razón de que yo nunca he deseado otra cosa. «Calvino parece estar aquí para cumplir deseos —me digo—. Ésa debe de ser su función en esta biblioteca». Acabo de dar con una nueva especie de bibliotecario. Conmovida, le digo entonces que me encantaría leer Virgilio de la misma manera que, por ejemplo, lo han leído Shakespeare o Cervantes; o leer Cervantes como seguramente lo leyó Calvino; o incluso Homero o al propio Borges como sin duda los leyó Virgilio. «Porque leer como lee Joyce es ser también Joyce» he dicho finalmente.

Calvino asiente. Soy una buena alumna. La literatura es una enfermedad y yo estoy presa de ese estado morboso. Y, entonces, leo. Me dispongo a leer palabra tras palabra del primero de los libros que tengo entre las manos. Me pierdo en el tiempo. Siempre estás leyendo, me dicen. No puedes hacer otra cosa que no sea leer. Lees demasiado. Oigo voces. Ése es el síntoma. Los escritores locos se dan cuenta de su locura cuando escuchan voces.

«Eso —me digo— debe de ser oír voces».

La lectura ha hecho que perdiese la noción del tiempo. Cuando levanto los ojos miro al pequeño grupo de hombres en busca de alguna referencia del tiempo transcurrido desde que, a instancias de Calvino, me senté en el sillón de la biblioteca. He podido comprobar que de los cinco contertulios faltaban dos de ellos, precisamente los escritores desconocidos. «Desaparecer por completo y para siempre –me he dicho– es el mayor peligro que corre un escritor». Y he recordado las palabras y el temor de Roussel por perder la vida.

Me ha parecido ver a Italo Calvino algo preocupado por estas ausencias. Hace que me sienta culpable.

Biografía de una máquina

EBO hacerme a la idea de que lo que yo busco no existe. Cuando menos, ahora ya sé por qué no existe. Sé, por fin, que el joven escritor desconocido que ha estado a punto de tirarse por la ventana cuando lo agarré al vuelo es el escritor desaparecido. Y ya no tiene nombre. Nadie de por aquí, y con menos razón de por allá, sabrá nunca decir de quién se trata.

Y es ahora cuando descubro que la autora tampoco tiene nombre. Lo más extraordinario que a una lectora puede sucederle en la vida es ignorar su propio nombre, en especial cuando tiene la certeza absoluta de que algún día lo tuvo y fue reconocida por ese nombre. En especial si uno, alguna vez, se pudo jactar de haber tenido un nombre.

Lo más grave es desconocerse y conocer, sin embargo, la biblioteca de Benjamin y a cuantos escritores visitan la biblioteca de Walter Benjamin. Aunque siendo así tampoco puedo quejarme. Pero estoy preocupada, sobre todo ahora que he descubierto que carezco de nombre y de alguien al que le importe que carezca de nombre. Ahora cuando he descubierto el significado de los narradores que poco a poco van perdiendo u olvidando sus nombres hasta desaparecer en el vacío.

Me pregunto si en este lugar caótico, donde falta todo y nada, existirá alguna administración, algún tipo de secretaría en la que informen al visitante sobre la variedad de nombres. Una forma de tener nombre es llegar a un lugar destinado a reclamar el nombre. Pedir el nombre significa indagar en los orígenes de tu nombre.

Tal vez perder el nombre quiera decir que te importa un pimiento tener o no tener un nombre.

Bendita forma de consolarme.

A buen seguro que ya estoy loca.

Lo más terrible sería reconocer que no soy yo, sino otra.

En ciertos libros dedicados a contar la historia de un personaje que busca a otro personaje resulta que aquel personaje buscado termina siendo el mismo que buscaba.

Literatura.

El país donde hasta lo ridículo es posible.

Ahora me busco a mí misma.

Hago como que salgo de la biblioteca.

Espío hacia uno y otro lado del vestíbulo.

No hay moros en la costa.

Por si acaso, doy media vuelta y regreso a la biblioteca.

Ahora que ya lo he descubierto todo, allí, es decir: aquí, me siento más segura. Cómo diría..., más protegida si cabe. Los libros me acompañan.

Los libros quietos en su sitio me ayudarán en la investigación sobre mis orígenes.

Los libros quietos aparentan hablar de orígenes.

Y si no me encuentro, siempre me queda el recurso de preguntarle a Calvino, pero Calvino está en otra parte, con su particular problema, como todos.

«Vamos a ver —me digo—, empecemos desde el principio:

»Mi padre es Kafka... Todos somos Kafka. Joyce, mi esposo, es, o podría haber sido James Joyce. En toda lectora, además de un padre escritor, siempre hay un esposo escritor, a lo James Joyce y su hija loca».

¡Cuánta memoria se adquiere con los libros! Nunca sabremos agradecerlo bastante. Con sólo verlos, quietos en sus estantes, uno ya recuerda. Cuando se trata de recordar, basta con darles un repaso.

«A estas alturas, leen los tontos y los imbéciles» me he sorprendido diciéndome.

Salgo de nuevo de la biblioteca. Salgo y entro. Entro y salgo. A fuerza de salir al pasillo, siempre acabará pasando alguien.

Cuando estoy dentro pienso: «Tengo a la hija de Joyce, Lucía Joyce, loca de remate, y a la esposa de Kafka, a quien los desatinos de Kafka hicieron volver loca. Todas las esposas de los santos literarios terminan locas. Ahora bien, ¿quién me asegura que Lucía Joyce y la esposa de Kafka no sean la misma persona, si se da el caso de que ambas estén locas? De ser así, no me queda otra salida que ser la hija de la hija de Joyce, que, a su vez, es la esposa de Kafka. ¡Qué escándalo para los ministros de la literatura haber llegado a una conclusión parecida después de años y años de pruebas, refutaciones y verificaciones! De ahí se explican mis delirios kafkianos y joyceanos».

No es tan claro, sin embargo.

Aunque, puestos a creer (la literatura es una suerte de religión a ultranza), tampoco sería tan extraño.

Los resultados de este parentesco me tranquilizan. Ser hija de alguien, aunque sea de la hija de Joyce, acaba reconfortando. El pasillo es largo. Camino hasta el final, preparada a echar por tierra toda teoría psiquiátrica que me salga al paso.

Los psiquiatras se esconden.

Cabe también la hipótesis de que sea yo Lucía, hija de Joyce, y la esposa de Kafka. Y que haya escrito una biografía propia de una demente y me encuentre ahora en el preámbulo de la última escena o capítulo. A punto de incendiar el hospital de locos...

Puesto que nadie aparece, será cuestión de buscar algún lugar idóneo para dar respuesta a las preguntas fundamentales.

Las computadoras en las que con sólo introducir el nombre de un autor surgen inmediatamente en pantalla sus libros y su biografía no están hechas para mí, que no tengo nombre. ¿Por dónde empezaría yo?

De una habitación voy a otra y de ésta a otra, y así sucesivamente.

Al fin llego a un lugar parecido a una oficina de teléfonos en plena actividad administrativa con la diferencia de que, en este caso, las máquinas son las únicas empleadas del servicio. Se escuchan zumbidos de impresoras, pitidos de teclados de ordenador y chasquidos de robots en danza. Ni una sola alma, con cuerpo al que agarrarse, me ofrece sus servicios.

La pérdida de identidad es la primera invitación al suicidio. Ésa ha sido la desgracia de mi pobre escritor desconocido que, harto ya de no ser nombrado y ni siquiera consultado en una biblioteca de locos, ha terminado por desaparecer. Suicidarse es lanzar el último grito a la nada para que alguien de esa nada te recuerde.

Decido consultar la máquina programada bajo el rótulo de Servicio de Atención al Cliente. En lo alto de la pantalla titila un interrogante. Y el cliente es el que pregunta o dice algo.

—Los padres no existen —afirmo en lugar de preguntar.

—¿Por qué razón quiere encontrar a sus padres? —pregunta la máquina, en lugar de contestarme.

—Lo raro es que desaparezcan —ha dicho la lectora.

Y luego, la máquina:

—En mi haber tengo varios nacimientos. Me temo que uno sea el suyo. ¿Por dónde empezamos?

—Está sentado, escribiendo. Siempre está escribiendo. Ella, arriba dando gritos. Siempre grita. O eso es lo que imagino que recuerdo —ha dicho la lectora.

—Regresemos al principio —ha sugerido la máquina.

La frase me ha enfurecido y si no he dicho adiós a la máquina ha sido por pura generosidad humana.

—Con los psiquiatras uno siempre empieza y acaba hablando de sus padres. Busco información, no consuelo.

—Tras de mí está también el vacío —ha confesado la máquina.

—Eso me recuerda algo personal e íntimo. Ahora resultará que somos hermanas.

Nunca había visto a una pantalla de ordenador ruborizarse de tal modo.

En lugar de uno ha puesto tres interrogantes.

—Sospecho que mi madre está loca —ha dicho la lectora—. Pero puede ser otra, la madre o la loca.

—Hábleme de su madre. ¿Qué síntomas tenía? ¿Qué delirios? ¿Qué excentricidades?

Nada más agradable que poder hablar de las neurosis múltiples de una madre, especialmente cuando nunca se tuvo madre ni cosa que se le parezca.

Me lanzo:

−Desde mi punto de vista (claro que subjetivo y personal) puede que padeciera del síndrome de Kafka. O tuviera la enfermedad de Cervantes. Vaya usted a saber.

−La lista es interminable −responde la máquina−. Tanto un mal como otro de los que usted ha citado empiezan con síntomas similares. Luego cada uno toma un cariz distinto. Todo depende del nombre que pongan a la enfermedad para distinguirla de otra. Al final, uno ya no sabe si es la enfermedad la que se acerca al nombre del escritor o el nombre del escritor el responsable de la enfermedad que ataca a los escritores y a los que no lo son.

−Y así es como todos terminan locos, o bien, convertidos en escritores. O también podría ser que los escritores acaben volviéndose locos como los enfermos que representan sus nombres... −Voy arriba y abajo de la pantalla.

−Carecer de nombre, a fin de cuentas, no es tan importante. Más grave me parece carecer de enfermedad capaz de proporcionar un nombre −objeta la máquina.

−Con lo cual, debo deducir de sus palabras que todos los de por aquí no son tales escritores sino enfermos que soportan las enfermedades de tales escritores.

−No pondría la mano en el fuego. (Y yo me pregunto cómo pondrá la mano en el fuego una simple máquina). Incluso aquí, las cosas se confunden y dejan de ser unas para transformarse en otras. Todo es puro comentario. Cuando hemos llegado a un punto en que los autores no son ellos sino lo que otros autores dicen que son, la cosa deja de ser cosa. Para reconocer a un lector suelo preguntarle sobre el color de los ojos de Molly. Ninguno de los lectores del *Ulysses* ha sabido responderme todavía. Eso sí, se fijan, sin embargo, en las palabrotas que mi padre escribía en sus libros. La literatura se ha convertido en una rara liturgia en la que los santos resultan más importantes que sus obras —insinúa la que dice ser Lucía Joyce.

—Se me ha ocurrido pensar si Lucía Joyce no era como una máquina de desordenar palabras. Creer que uno ha tenido como madre a Lucía Joyce es horrible —dice la lectora.

—Tu padre tenía la costumbre de dormir con la puerta de nuestra habitación cerrada —se enternece la máquina—. Eso me martirizaba. No te oía. No podía escuchar tu llanto por las noches. Tenía entonces que levantarme continuamente, para vigilar si llorabas o dormías. Me enfermaba la obsesión de que un día entraría en tu cuarto y ya no estarías allí, durmiendo como un angelito. Total, para lo que sirve tanto esfuerzo, luego, las hijas, cuando crecen, van a la suya, y al final te olvidan. Así que no importa volverse loca, y morir quemada en un sanatorio para locos. Ahora puedo ser la madre de millones de lectoras que buscan madre. Para unas, la hija de Joyce, para otras, la esposa de Kafka...

Le tiendo una trampa.

—¿Cuál es mi novela favorita? —le pregunto—. Ésas son cosas que sólo sabe una madre cuando es en realidad madre de una y no de otra.

—*Ana Karenina* —me responde—. Tengo anotado que la has leído setenta y seis veces. Incluso tengo registradas las páginas y las palabras que te has ido saltando en cada lectura. ¿Quieres verlas?

He pensado: «Esta es el colmo de las madres». Y me ha entrado la duda de si no seré el producto de esta máquina simulamadres.

Puedo tener madre a capricho. Ahora enciendo, ahora

apago. No hay nada mejor que una madre capacitada para escribirle las novelas a uno. Una madre *bit*. Te apetece saber quién es tu madre. Intro. Aquí tienes a tu madre. Es más fácil encontrar a tu madre que a un escritor desconocido, o que a un escritor desconocido que, además, ha tenido la mala suerte de desaparecer. La madre permanece como una caricatura cruel de las palabras, en tanto que a los escritores se los traga el olvido.

Ahora enciendo, cuando me canso, apago. La madre no tiene otra función digna de madre que la de contar cuentos a sus hijos. Mi madre me obedece y cuenta la historia de sus padres y de mi padre. Así, por ejemplo, dice la máquina:

–Nací en un barrio triste de San Petersburgo. Mi madre era costurera. Mi padre no existía. Mi madre se dedicaba a coser los puños de camisa de los soldados del zar. Imagino que mi padre debió de ser uno de ellos. Y desapareció. Éste ya era motivo suficiente para creer que mi vida merecía ser contada. Alguien se ocuparía de hacerlo. Alguien tendría que escribir mi miedo a ser mordida, primero, por las ratas y más tarde por los amantes de mi madre que venían a arreglarse los roídos puños de sus camisas. Y roían todo lo que podían de la casa de mi madre, a mi madre y a mí. A los trece años me escapé de San Petersburgo. Iba en busca de un escritor que estuviese dispuesto a escribir mi vida. Tuve suerte. La primera noche de mi aventura di casualmente con tu padre. Un literato de cabo a rabo. Un auténtico señor de las letras. Vestido de negro como la noche, el que iba a ser tu padre se acercó a mí, que aterida de frío calentaba mi espalda con la piedra de una esquina, y me avisó: «Me llamo Kafka. Franz Kafka». «Este nombre me suena», le respondí temblando.

«¿Un escritor, tal vez?». Afirmó con la cabeza y a un tris estuvo de sonreírme. Tu padre sonreía poco. Como todo buen escritor, era vergonzoso. Sentía vergüenza de enseñar sus dientes tan blancos y grandes. De otro modo, pensaba, los blancos descubrirían antes que era negro. Si evitaba sonreír, el color de su piel pasaría inadvertido. Así pensaba tu padre. Bendita imaginación tenía el pobre.

»Entonces era de noche y en una ciudad como la Praga de aquellos años apenas si había luz en las calles. Otra, en mi lugar, se habría asustado al ser abordada en las tinieblas por un desconocido. Pero lo que era yo, no sólo estaba acostumbrada a desconocidos, sino que además los andaba buscando.

»Y, como si hubiera adivinado mi pensamiento, tu padre me dijo: «¡Ven conmigo, que vamos a escribir un libro!».

»Y de la mano me llevó a su oficina literaria sin darme tiempo a rechistar. No tuvimos que andar mucho. A decir verdad, estaba a cuatro pasos de nuestro lugar de encuentro.

A estas alturas del monólogo, lo lógico sería ponerse a indagar sobre el origen de las palabras de la máquina.

«¿Quién andará escondiéndose ahí dentro?», es lo que cabe preguntarse cuando uno habla con una máquina como si se tratase de una persona. Llegas a un lugar en busca de escritores y te encuentras con la voz de tu madre encerrada en una máquina.

«Mi madre, con sus historias de viejas, se cree una redentora literaria entregándose así como así al primer desconocido que la aborda en una calle».

Mi madre desprecia a los escritores porque le resultan imprescindibles para su existencia. Ella dice: «El escritor no existe». Y se queda tan ancha. O bien dice: «El escritor ha muerto. Yo soy el escritor». Y se queda más ancha todavía.

Entre tanto, yo sigo con mi oficio. Mi oficio no guarda relación alguna con la tarea de escribir o publicar libros. Mi oficio ni tan siquiera consiste en leerlos, aunque la lectura sea una práctica inmanente a mi oficio. Tampoco consiste en ordenar los libros en una biblioteca. Alguien podría pensar que me dedico a hacer resúmenes de ellos y difundirlos como si tal cosa. Mi oficio es más humilde y sencillo. Consiste en callar y repetir. Invitar al sueño. Imitarlo. Permanecer piadosa y vigilante. Y repetir, y repetir sin fin...

Dante, misericordia.

Homero, misericordia.

Dante, misericordia.

El blanco de la página

IEMPRE soñé con escribir una novela en la que su protagonista viviese en la cama y, hete aquí que sin siquiera proponérmelo, me encuentro viviendo en una cama como la protagonista de mi mejor novela.

La cama es el lugar idóneo para que vivan los escritores. Duermen y piensan en la postura creadora correcta. Y, sobre todo, sueñan. Sueñan, por ejemplo, con una fotografía de Henry Miller y Lawrence Durrell metidos juntos en la misma cama mientras sonríen al fotógrafo que los ha inmortalizado en su broma frustrada de sorprender al fotógrafo.

El escritor, si pudiera, no se movería de la cama y sonreiría a los fotógrafos en cada ocasión que vinieran a retratarlo.

De hecho, ha habido escritores que, en lugar de despedirse del mundo lanzándose por la ventana, se metieron para siempre en sus camas y años, muchos años después, murieron. Entre otros, se me ocurren ahora: Colette, Marcel Proust, Víctor Català, Paul Bowles, Juan Carlos Onetti, Ingeborg Bachmann..., y todos aquellos cuyas respectivas familias y amigos ocultaron que vivían en la cama.

La misma Caterina Albert, sin ir más lejos –Víctor Catalá era su nombre literario– vivió sus últimos años en la cama. Pero ella, a diferencia de la escritora francesa algo más frívola con sus modales y accesorios (es sabido que cuando Paul Morand iba a verla, Colette elegía el camisón azul Pompadour con blonda fucsia para recibirlo), se vestía con la ropa de noche propia de una escritora catalana austera. Elegía su mejor planchado camisón de escritora: blanco, de algodón o batista fina, cuello redondo y manga larga. Pedía que le colocasen la mesilla para enfermos y le situaran aquí y allá en la cama unos cuantos libros desperdigados, y sobre la mesilla de enfermo y de escritora le pusiesen la pluma y el consabido papel que dieran a entender al mundo que venía a visitarla que ella se pasaba la vida escribiendo. Y así era, en efecto, aunque en la práctica dedicase a ese oficio diario apenas unos minutos mensuales.

A decir verdad, acaso sean las escritoras más que los escritores quienes en un momento determinado decidan quedarse a recibir a la muerte en una cama. ¿Consistirá esta afición en una nueva forma de suicidio femenino? Muchos autores venderían su alma al diablo por ir a visitar a las escritoras moribundas en sus camas. Una competencia menos para ellos.

Las razones que invitan a guardar cama suelen ser diversas, pero en todas coincide un factor común: el blanco de la página se asemeja al blanco rectangular de la cama. Y parece lógico que de tanto pelear con la página, las escritoras terminen asociándola con la cama. Las escritoras en sus camas se inventan la ilusión de estar escribiendo sus mejores páginas.

Por otro lado, después de un viaje como el mío, llegas

a merecerte una cama. Tal vez fue así como Dante encontró el Paraíso.

En otro tiempo, cuando fantaseaba con la idea de situar a la protagonista de mi novela en una cama, imaginaba otro tipo de cama y otro decorado. Suponía un dormitorio de paredes rebosantes de libros y en el centro de la habitación la cama, en la que había decidido que viviese la protagonista. Imaginaba también una especie de palo largo parecido a una pértiga y acabado en una enorme pinza o ganzúa que sirviese a la protagonista para apresar a su antojo el volumen elegido.

Pero nunca me imaginé viviendo tales cosas.

El cómo he llegado a la cama en la que vivo es algo que no resulta fácil de explicar, sobre todo porque quiero huir de la idea de que parezca un milagro o un sueño. Los sueños son, casi todos, voluntarios. Mi amiga, la experta en fundar matrimonios con escritores, hablaría de experiencia mística. Y su opinión, por esta vez, no sería del todo desacertada.

He llegado aquí por mis propios medios, aunque no por voluntad propia. Las lectoras no suelen terminar sus días como las protagonistas de sus cuentos y con menos razón cuando ni siquiera tuvieron tiempo de escribirlos. Recuerdo, eso sí, el esfuerzo que me supuso escapar de la sala de máquinas del sanatorio. Resulta desagradable tener que dejar a tu propia madre encerrada en una máquina. Abandonada ahí, sin más, cuando te ha costado la mitad de una vida llegar a donde estaba. Pero no era precisamente mi madre lo que yo andaba buscando. Mi destino es el escritor que desaparece, el hombre que huye, le he dicho, en un inútil intento de justificar mi escapada. Por esta vez mi madre no se ha puesto histérica. Le ha parecido bien que un hombre fuese la causa. Mal iríamos si fuera un libro, ha callado. Me habría gustado explicarle el verdadero motivo de mi viaje. Me habría gustado espetarle: «Te dejo porque he decidido entregar mi vida al escritor desconocido». ¿Pero cómo puede uno dejar algo, a alguien, cuando ya se han ocupado previamente de abandonarlo? Me habría gustado soltarle: «Quiero consagrar mi alma a la literatura». La habría matado. Con las madres de una cierta edad y especialmente cuando se encuentran encerradas en una máquina hay que actuar con cuidado. Las máquinas no mueren. Se callan y poco después responden. Y cómo responden...

Una vez libre de máquinas, madres y compromisos, he seguido por otro pasillo largo hasta dar con una escalera de caracol que me ha hecho pensar en la escalera de la biblioteca de Montaigne. Y como algo natural, he creído que al terminar la misma me encontraría con la biblioteca del escritor o con el escritor en persona. Pero las cosas no suelen ser tan obvias cuando damos por sentado que así sean. Ni tampoco tan inesperadas. Aquí se encuentra lo que se encuentra, sin hadas buenas ni magos dispuestos a satisfacer cualquier deseo. Y al final de la escalera me he encontrado con una habitación y en el medio una cama. Y en medio de la cama el blanco de las sábanas y en medio de las sábanas el blanco de la página. Con lo cual, desconcertada, me he dicho que ésta tenía el aspecto de ser la celda de un monje y no el habitáculo de una persona dispuesta a entregar su vida por la literatura.

«¿Dónde están los libros?», ha sido lo primero que me he preguntado, hasta llegar a la conclusión de que la ausencia de libros, el vacío inmaculado del espacio es, después de todo, comprensible. No estoy aquí para leer libros, sino para revivirlos. Y mientras me preparaba para el paso decisivo de meterme en una cama y no moverme nunca, he pensado que la idea de desaparecer en ella es comparable a la del poeta que decide escapar hacia el desierto, con la diferencia de que una resulta la idónea para espíritus nómadas o inquietos y la otra para aburridos y sedentarios. ¿A quién habré invocado cuando hice semejante comparación? En fin, predecir el destino de uno es conocer de antemano la forma de muerte que corresponde más a tu carácter. Las lectoras tienen la forma de muerte que mejor corresponde a su estilo literario.

En una cama, uno se dispone a morir de muerte natural. Sin escándalos. Y la muerte natural nunca es conveniente para un escritor fracasado. Termina por matarlo del todo, y en este caso, para siempre.

Así que estoy en la cama, sin más, pensando en la muerte de los escritores suicidas y no suicidas y sometida a la tarea de repetir; callar y repetir. Y hablando conmigo misma, que es la forma más coherente de callar, ha sido como he seguido con mi ruego.

Y he suplicado a los muertos:

Dante, misericordia.
Virgilio, misericordia.
Dante, misericordia.
Petrarca, misericordia.
Memoria, misericordia.
Lectores, escuchadnos.
San Kafka, ruega por nosotros.
Todos los escritores y escritoras, rogad por nosotros.
Todos los escritores suicidas, rogad por nosotros.
Todos los autores inocentes, rogad por nosotros.

Todos los escritores estériles, rogad por nosotros.
Todos los Kafkas del mundo...
William Faulkner, ruega por nosotros.
Jules Renard, ruega por nosotros.
Safo y Platón, rogad por nosotros.
Santos Bouvard y Pécuchet, rogad por nosotros.
San Quijote, ruega por nosotros.
Hermanas Brontë, rogad por nosotros.
Teresa de Jesús, ruega por nosotros.
Todos los autores bíblicos, rogad por nosotros.
Todos los santos escritores, rogad por nosotros.
Marcel Proust, ruega por nosotros.
Fiódor Dostoievski, ruega por nosotros.
De la muerte eterna, líbranos, Señor.
De los críticos, los reporteros, los censores, líbranos, Señor.
Del olvido, líbranos, Señor...
Que la escritura sea necesaria.
Os rogamos, óyenos.
Que la idea sea al estilo lo que la forma al pensamiento.
Os rogamos, óyenos...
Nosotros, escritores,
os rogamos, óyenos.
Nosotros, lectores,
os rogamos, óyenos.
Que aprendamos a amar las palabras para gozar
                                    [repitiéndolas.
Os rogamos, óyenos...
Dante, misericordia.
Cervantes, misericordia.
Unamuno, misericordia.
Arthur Rimbaud, ruega por nosotros.

Por la lucha continua en cada frase.
Por su continuación.
Que la verdadera muerte sea la escritura.
En la hora de escribir,
os rogamos, óyenos.
Dadnos qué leer,
os rogamos, óyenos.

El pacto roto

CON toda seguridad me habré quedado dormida entre principio y fin de una letanía. A fuerza de repetir, se pierde la noción del tiempo y el olvido se instala, como si tal cosa, en el sueño. «Esto es como el principio de un viaje o el desenlace de otro». Y después he llegado a la conclusión de que al escritor contemporáneo le convendría un suicidio de este tipo en lugar de fabricar novelas y presentarlas a premios y matarse después al comprobar que no fueron premiadas. Ha sido entonces cuando León Tolstoi se ha instalado en mi cabeza y he procurado disfrutar al máximo de este recuerdo. «Pero Rusia está tan lejos...». Y en el instante mismo en que veía las estepas nevadas de Rusia y repetía el siempre inolvidable nombre Petersburgo, he oído cerca de mí una tos seca, breve, agitada. «La muerte debe de andar resfriada» he pensado divertida. Y al abrir los ojos para comprobar mi ocurrencia, he visto a un hombre joven, de ceño arisco, instalado al pie de la cama como un gnomo.

Mi humor ha cambiado por completo. Me he puesto seria.

—Suponía que estaba sola —le he dicho.

—La soledad es abominable —me ha contestado.

Lo veo pasear de un extremo a otro de la cama. Como un médico.

–No necesito un psiquiatra, créame.

–Me considero un poeta –ha dicho casi enfadado. Y luego, sin mediar introducción, ha comenzado a recitar:

C'est un trou de verdure où chante une rivière
Accrochant follement aux herbes des haillons
D'argent; où le soleil, de la montagne fière,
Luit: c'est un petit val qui mousse de rayons.

Un soldat jeune, bouche ouverte, tête nue,
Et la nuque baignant dans le frais cresson bleu,
Dort; il est étendue dans l'herbe, sous la nue,
Pâle dans son lit vert où la lumière pleut.

Les pieds dans les glaïeuls, il dort. Souriant comme
Sourirait un enfant malade, il fait un somme:
Nature, berce-le chaudement: il a froid.

Les parfums ne font pas frissoner sa narine;
Il dort dans le soleil, la main sur sa poitrine
Tranquille. Il a deux trous rouges au côté droit.

Me he conmovido.

Un verso, un poema es la suma de momentos únicos y de una biografía afectiva. El poema *Le dormeur du val*, de Rimbaud, forma parte de la mía. Les propongo a todos los lectores del mundo que lo reciten en voz alta y se escuchen.

–Escuchar y repetir –le he dicho a Rimbaud.

–Sí –me ha contestado. Y a continuación–: La lástima es vivir como un poeta sin serlo.

Y ha dado una voltereta sobre mi cama.

Su acrobacia me ha divertido y creo que he reído un poco. Confieso que una de mis especialidades es saber pasar de la risa al llanto en cosa de segundos. Pero la expresión de Rimbaud, pese a la voltereta, seguía siendo penetrante; tierna aunque trascendente. Por lo que he podido aprender, su intención no consistía tanto en divertirme como en cautivarme. Y de pronto:

—¡Huelo a nuevo! ¡Quiero un verso nuevo! ¡Necesito un verso nuevo! —presumía excitado.

—Si usted es Rimbaud, no hay duda que el énfasis que pone cuando escribe lo repite cuando habla.

«Ahora —me he dicho— es cuando aparecerán los loqueros para colocar al pobre Rimbaud una camisa de fuerza».

—No se asuste —dice, tenso aún, pero más tranquilo—. No tengo intención de seducirla aunque tampoco estaría de más darle un blanqueo a su mente para que se le pasara de una vez toda esa mojigatería literaria.

No contesto.

Se sitúa en posición de lanzar contra mi persona una andanada de recriminaciones.

—La pasión es para entregarla a la vida —me sugiere tal como si me lo ordenase—. La literatura, por el contrario, nunca ha de ser un estado, sólo un camino. Un pasaje al cual no es necesario hacerle mucho caso. Por esta razón es que estoy aquí, sentado en su cama. He venido a ofrecerle una invitación. Algo con lo cual soñaría cualquier mequetrefe literario que tuviera un poco de sentido común en su sesera.

El gnomo cruza las piernas encima de mi cama y prosigue:

–Puedo enseñarle a ver el más allá. Le puedo ofrecer la facultad oculta de Goethe, sus poderes mágicos, que, por otra parte, no han sido igualados por ningún otro escritor. Le puedo conceder la facultad de observar el mundo oculto. Le ofrezco, en fin, la genialidad. La genialidad, o bien, nada. Usted será quien decida.

Yo pienso: «Todos los escritores están locos. O padecen, si no, graves complejos fáusticos».

Rimbaud ha apoyado el codo en su rodilla y con la mandíbula sobre su mano se ha quedado pensativo y soberbio durante unos segundos. Ahora parece un fauno.

–Los literatos me asquean. ¿Con qué sueñan? Creen los idiotas que con su escritura alientan al Dios de los humanos. Repiten como loros fórmulas escritas, palabras, mentiras, y son víctimas de una pereza embaucadora. ¡Y se llaman a sí mismos autores, creadores, artistas...! He conocido a cada creador de pacotilla, a cada suicida de la palabra, que la espuma me sube a los labios con sólo recordarlo. Falsos santos, ateos sin escrúpulos, falsos poetas todos. «¡La verdad!», dicen y proclaman, y, de pronto, un escritor sueña con la mentira y toda la humanidad está dispuesta a asegurar que la mentira es el meollo de la gran literatura. «¡Muera Rimbaud!», dicen y luego «¡Resuciten a Rimbaud! ¡Viva Rimbaud!». Espíritus hipócritas de razas inferiores. Ah...., la literatura... Todo lo han entristecido para siempre.

Decido no llevarle la contraria. El genio está borracho, seguramente. Las mismas palabras emborrachan cuando haces que se desboquen de ese modo. O bien, puede suceder que cuando te dan la oportunidad de conocer a un genio, éste se encuentra drogado, bebido o dormido. Claro que ser genio es también una manera muy particular de estar borracho. A los genios las palabras se les enturbian y desbordan de la boca.

Cuando permite que sea yo quien hable, le pregunto si su invitación presupone el tener que convertirme en un Rimbaud del sexo femenino. Le aclaro que la propuesta no me convence. Hay demasiados Rimbaud por el mundo. Demasiadas reproducciones.

Apenas me oye. Es propio de genios y seres talentosos no atender a preguntas. Es tan poco lo que escuchan que cuando encuentran a alguien dotado para oírlos se instalan indefinidamente en su monólogo. Pero sí, parece que esta vez me ha oído.

–Falsos en su mayoría –protesta–. Todos los Rimbaud de turno son unos farsantes y en eso solamente, en ser inventores de imágenes, puede que se parezcan algo al auténtico. Sin embargo, usted dispone de lo imprescindible para ser Rimbaud sin convertirse nunca en un falso Rimbaud.

»¡Usted carece de biografía! –exclama de nuevo (cosa que por otra parte no me agrada demasiado)–. Como yo mismo, que apenas si poseo algunos datos biográficos. Lo cual, si bien es cierto que, por una parte, dificulta la posibilidad de realizar un retrato verídico de su vida, de diagnosticar si usted tuvo o no tuvo vida, por otra parte ofrece a sus lectores la posibilidad de que se la imaginen. Un narrador sin biografía, un poeta sin registros, no cabe duda que será un genio.

Se levanta y a modo de discurso continúa:

–Si, como dijo Carlyle, la historia del mundo es la descripción de sus grandes hombres, la historia de la literatura es nada menos que la de sus grandes escritores. Y tanto más grande es un escritor cuanto más grande es su leyenda. ¿O todavía lo duda?

Yo me callo.

–¡Fíjese en mí! ¿Habría representado el mismo Rimbaud que represento de haber sido un poeta que escribe metódicamente su diario, un escritor con un archivo de correspondencia...? Apenas si he dejado unas pequeñas señales biográficas para que, a partir de ellas, el público pueda inventarme. Piense en Homero, y en Virgilio. Fueron los más grandes, puesto que han sido también los más desconocidos. O en Cervantes, el único escritor que ha conseguido confundirse con su protagonista. El lector, el buen lector, me refiero, ya no sabe quién es don Quijote, quién Cervantes. Autores y protagonistas se confunden.

Ahora me mira a los ojos.

–Concédame la suerte de ser nadie a cambio de llegar a ser alguien en el reino de los clásicos –me reclama, a mí, pobre lectora. Ésta es la plegaria que realmente sirve. Cuando el mundo no puede situar al poeta, lo convierte en dios.

Y remedándome:

–Virgilio, misericordia. Dante, misericordia. Kafka, misericordia... Pobres condenados –se burla, celoso de sus compañeros de plegaria–. Moribundos literarios. Héroes y mártires. No hay más escritor que yo, no hay más poeta que yo, que no haya deseado morir por las palabras. Beatería insulsa. ¡Muerte a las palabras! Sí, señor.

Y al momento:

–Mi ejemplo los ha desconcertado, ¿no es cierto? Por más Homeros y Virgilios que hubiera, cuando Rimbaud dijo adiós y cerró la puerta se quedaron todos encogidos. Los he dejado hurgando en huellas inexistentes desde el día que me escapé al desierto. Buscando como locos y diciendo he aquí un poema encontrado en un posavasos de la taberna Le Lion doux, o bien, ahora se ha descubierto un verso de Rimbaud en el retrete de la estación de Austerlitz... Y toda esta suma de palabras desperdigadas, encontradas en los lugares más insulsos (pajares, prostíbulos, hoteles de poca monta...), constituye la Biblia de Rimbaud, mi obra, mi gran obra en un solo librito. Una nada de librito.

Arthur Rimbaud se ha sofocado. Resopla hacia su flequillo, que le ha caído sobre la frente.

−¡Ay! Mi vida está perdida y la suya ya no existe, puesto que la han utilizado.

Ahora protesto.

−Siento estar en desacuerdo con usted.

−Éste es mi sino con las mujeres. Ya no pretendo discutir con ellas, a no ser que se trate de brujas o videntes. Con usted es distinto, sin embargo. Sus posibilidades son enormes. Imagínese todo lo que representaría escribir viendo más allá de lo que uno escribe. Rompa frases. Descontorsiónese con las palabras. ¡Qué lástima me da verla, sometida al sufrimiento de cuatro locos! Víctima de esos nombres que la ignoran y por los que usted se ha convertido en sus ecos. Repetir una y otra vez nuestros nombres como si fuéramos santos. Si por lo menos pudiera quedarse callada, como yo, sorda de una vez al arte, sorda al mundo. Si pudiera quedarse callada y dijera adiós para siempre a las palabras, sería una más de la escuela de ignorantes juiciosos que dan la espalda a la literatura. «Antes y después de Rimbaud», dicen con gravedad, y acto seguido se transforman en ex poetas, ex novelistas, ex críticos. Ni siquiera el infierno se merecen esos pobres aduladores. ¡Asco e indiferencia para ellos!

Su actitud me recuerda la del alumno sabihondo e insoportable. Va y viene de un lado a otro del cuarto. El espacio es pequeño, aunque luminoso. Una ventana ofrece su vista al crepúsculo. Rimbaud se coloca al lado de ella y simula mirar el paisaje.

«¿Y si fuera el verdadero Rimbaud? El de los ojos transparentes, el mismo que conocemos del retrato famoso» me pregunto. Por si acaso, conviene ser escéptico ante este tipo de ofrecimientos, en los que el diablo vestido de cualquier artista talentoso te ofrece juventud, éxito eterno... ¿Qué habrá detrás del ofrecimiento de este jovencito? Me basta con haber leído las escenas finales de *Las ilusiones perdidas* para ser precavida. Balzac intenta en ellas salvar a su protagonista Lucien mediante el inesperado encuentro con el canónigo español Carlos Herrera.

—Me pregunto en qué puedo interesarle —le digo finalmente.

—Ha perdido su vida en la vida de sus sueños. Ha cedido su tiempo a sus quimeras. ¿Dónde dejó el amor? Yo tuve por lo menos a Verlaine, pero en cambio usted, que careció de todo, puede disponer ahora de la alteridad del parnaso. ¿Qué escritor elige? ¡Cómo desearía yo ocultarme en su vida que no es vida! A cambio le ofrezco la clave de la poesía. El buen poeta se sirve de la poesía para llegar más lejos, a Dios, al infierno, a las estrellas. ¿A qué quedarse en la palabra, en la vana invocación de los autores de las palabras? El buen poeta va más lejos. A través de la poesía, busca obtener riquezas, poseer gobiernos. El escritor debe mantener una actitud soberbia frente al mundo. Traficar con las palabras. Venderlas al mejor postor. Servirse de ellas. Reinventarlas.

»Trabajo éste, claro, de espíritus selectos. El mundo teme a los genios y los hace poderosos. El mundo ama la oscuridad de los poderosos. Búsquese un marido etílico, un padre violador, ofrézcase un pasado oscuro. Que sus palabras sean, sin embargo, claras. El público entiende lo moderno, pero no lo nuevo. Apueste por los reporteros, como yo hice. Escandalícelos. Hágase con una historia a lo Verlaine, un amante importante, perteneciente a otro y pecaminoso. De lo contrario, quién va a acordarse de su historia. Verlaine fue mi poesía.

Y ahora, si cabe más excitado, continúa:

–Provoque al director de un periódico hasta el extremo de que intente asesinarla. No puede imaginarse lo que supuso para mi buen nombre literario el encarcelamiento de Verlaine, el poeta asesino. Tuve que irme. Tal escándalo merecía un escándalo todavía más sonado: mi renuncia, no sólo a Verlaine, sino a la poesía entera. Y los abandonados son siempre los únicos que glorifican. Y además, qué sentido tiene escribir una vez que se ha dejado a Verlaine. ¿Por qué razón escribirá un poeta si ya no tiene otro poeta a quien escribir?

»Resumiendo: Verlaine significaba renunciar a la literatura. Renunciar a la literatura significaba renunciar al escándalo y renunciar al escándalo significaba, por supuesto, renunciar a Verlaine.

–Reyes, dioses y piratas cantados por el primer Homero –digo yo y preciso–: Le iría bien recordar el anonimato de los primeros poetas. Celebraban una divinidad tras otra. Son los que formulaban preguntas y no conocían las respuestas.

–¿Y su nombre? ¿Y su dignidad de artista?

Rimbaud está cada vez más enloquecido.

–¿Quién recuerda ahora lo que queda tras un nombre? La biografía de Shakespeare es la de cualquier poeta que desee ser Shakespeare –sigo insistiendo con lo mío.

−¿Y el pacto con el diablo? No hay artista en la literatura que haya rechazado un pacto de este tipo. Hay que estar loco para no hacerlo.

−Qué necesidad tengo de regresar nuevamente a la locura si ya estoy en ella −digo, tratando de dirigirme ya no sé si al diablo, al poeta o al aire crepuscular del cuarto−. Callar y repetir.

Mi actitud enfurece al poeta.

Abre la ventana. Mira hacia abajo. «¿Qué habrá abajo?» me pregunto. Y algo me lleva a sospechar que ya he dado con ello. «El vacío de siempre» me digo.

Es entonces cuando descubro que Rimbaud vestido de diablo o el diablo vestido de Rimbaud es el poeta inexistente. Es aquel escritor que a punto estuvo de decir adiós tirándose por la ventana y todos aquellos escritores que llegaron o no a lanzarse al vacío a través de una ventana.

−Al fin lo he encontrado −digo.

»Otro Homero. El poeta inexistente.

»Homero inventado por los recopiladores de palabras.

»El escritor desconocido, la suma de poetas suicidas que escaparon o no a su intento de tirarse por la ventana.

»El primero y el último.

»Homero, el escritor desconocido.

»Homero, el suplantador de Rimbaud y de cuantos escritores se creyeron Homero.

La ventana sigue abierta. Perdida en mis disparates, me doy cuenta de que Rimbaud hace rato ya que ha desaparecido.

Pese a todo, ha conseguido tirarse. Y entre tanto divago y no hago nada para salvarlo.

«Será para otra vez» me consuelo.

Ahora es un médico vestido de diablo o un diablo disfrazado de Rimbaud el que salta de un lado a otro de mi cama.

No me escucha.

Pero yo insisto.

Homero, misericordia.

Rimbaud, misericordia.

Dante, misericordia.

Hasta que, por fin, abro el libro o la ventana y también me tiro.

Glosario onomástico

(Vidas de escritores)

ALTHUSSER, Louis

Dos virtudes resaltan en este filósofo francés del presente siglo: ser más marxista que Marx y atreverse a estrangular a su esposa por comunista y pesada. El tribunal declaró inocente, dada su demencia, al asesino famoso. Murió menos loco de como vivió y dejando tras de sí una lista infinita de discípulos que desean seguir a su maestro en el acto heroico. La obra más celebrada y leída del filósofo es precisamente el relato en el que cuenta con todo lujo de detalles su gran tragedia.

ARIOSTO, Ludovico

El poeta Ludovico Ariosto trabajó al servicio de duques y cardenales en tanto escribía, para disfrute propio, poesías, comedias y el gran poema *Orlando furioso*. Esta obra se caracteriza por la ágil combinación de elementos épicos y amorosos nunca vista en la Italia literaria. Ariosto rompe con los preceptos y axiomas del arte poética para crear un texto de *suspense* emotivo. Se dice que incluía nuevos episodios o intercambiaba otros, siguiendo el capricho de un lector curioso y enfebrecido.

ARTAUD, Antonin

Primer loco literario notable. Se autocalificó de enfermo eterno, lo que le permitió vivir, sin trabas de ninguna clase, la poesía y el teatro que llevaba dentro. La ruptura de su compromiso con los surrealistas y con su prometida Cécile lo convirtió en un hombre acorralado por la camisa de fuerza. Sufrió múltiples persecuciones, entre ellas, la obsesiva vigilancia de su madre. Murió sin apenas darse cuenta.

AUSTEN, Jane

Con el ejemplo de Jane Austen las malas lenguas ya no pueden decir, sin avergonzarse, que no hay mujeres escritoras. Ella acaba con esta tradición y como buena inglesa inaugura otra: la novela psicológica. Sólo tuvo una pasión tardía con un oficial muerto en la guerra. Su vida personal es, de tan inexistente, asombrosa. Salió por primera vez de su casa de campo cuando murió en 1817.

BALZAC, Honoré de

Gobernó la literatura durante más de un siglo sin sufrir persecuciones de ningún tipo. Su obra dicen que es infinita y ha de serlo para representar, como representa, toda la comedia humana. Su facilidad para escribir fue admirable. ¡Ojalá todos los jóvenes le imitasen! Sus lectores se dividen en dos bandos: los que alaban su profundidad y los que le reprochan su aspecto burgués y frívolo. En suma, que posee las dotes hoy inexistentes del novelista puro.

BARNACLE, Nora

No es escritora, pero como si lo fuera. Haber acompañado al gran Joyce a lo largo de su vida y de su obra no les parece mérito suficiente a los redactores de las enciclopedias para dedicar unas líneas a esta mujer irlandesa. Detestaba la lectura, aunque está todavía por demostrarse la hipótesis de si la pizpireta camarera de hotel que era Nora no escribía los libros a su esposo.

BAUER, Felice

Primera amante oficial de Franz Kafka. Ignoramos cómo escribía.

BEACH, Sylvia

Modelo de mujer independiente y libresca. Son muy pocas las que hoy cumplen con el sagrado deber de venerar el libro e incitar a su lectura. ¡Qué honor para esta librera haber sido la editora de James Joyce! Fundó en París la célebre librería Shakespeare and Company, lugar de peregrinación de figuras ejemplares como Eliot, Pound, Hemingway, Beckett, Porter...

BEAUVOIR, Simone de

Se dice que la novelista francesa vivió desesperada por saberse definida como «la compañera de Sartre». Esas cosas ocurren a aquellos escritores que, desde edad temprana, empiezan a escribir su autobiografía en cada novela publicada. Para vengarse, traicionó a Sartre en su último libro publicado. Fue también la autora del manual clave de todos los movimientos feministas y el modelo que ha de seguir toda jovencita con ambiciones de pensadora y amante revolucionaria.

BECKETT, Samuel

Por sus muchos y magistrales relatos sobre payasos, tarados físicos y pobretones anónimos, se le ha llamado «pájaro solitario» o «milagrero». Es un profanador nato del silencio, la palabra y el idioma. Una prueba de ello es cuando asegura escribir en francés para fastidiar a Irlanda, su país de origen. «Ah la hermosa palabra única. La mínima», exclama. Y sin saber quién es, muere en el año 1989, a pocos meses de distancia de su hermano en santidad Thomas Bernhard.

BENJAMIN, Walter

Después de dejar a su esposa al primer año de su matrimonio, el filósofo alemán emprendió varias peregrinaciones metafísicas sin moverse apenas de la biblioteca. Se lo conoce también como el viajero impasible o el excéntrico solitario. Su excepcional talento para moverse entre las ideas no le permitió, sin embargo, regresar a casa cuando más lo necesitaba. El antihéroe murió en Portbou a causa de una sobredosis de morfina que prefirió tomar antes que tener que soportar el enclaustramiento nazi.

BERNHARD, Thomas

Thomas Bernhard, escritor tan amado, se santificó sobre todo con la aceptación rebelde y fructífera de una prolongada y dolorosa enfermedad. Abogado de imposibles, todo el esfuerzo de su estilo poético y narrativo está concentrado en desinfectar a fondo la lengua y la cultura de su país (Austria) para que al fin se pueda respirar sin problemas. Muchos ciudadanos de Salzburgo se avergüenzan de que su preciada ciudad haya sido cuna de ese monstruo. Peor para ellos.

BLOCH, Grete

Amiga (tal vez, amante pasajera) de Felice Bauer, tiene importancia histórica por ser la intermediaria de las relaciones de ésta con Franz Kafka. De la conjetura sobre si tuvo o no tuvo un hijo del escritor, lo notable fue su confesión del hecho. Murió también en un campo de concentración hitleriano.

BORGES, Jorge Luis

Le atribuyen la perversión del Bibliotecario Ciego dada la lectura infinita de inexpugnables conocimientos humanos, naturales y divinos. Escritor curioso, cultivó todos los géneros literarios hasta crear el propio. Nació en Buenos Aires y murió en Ginebra. Desde entonces, todos queremos parecernos a Borges, el plagiario.

BOWLES, Jane

Dejando intacto a su esposo, el escritor y compositor Paul Bowles, la noche de su boda, entregó su vida a la literatura y a una tal Cherifa, que acabó matándola. Como el público lector ignoró su primera novela, Jane pasó el resto de sus días tratando de escribir la segunda y mientras tanto, su marido Paul cosechaba éxito tras éxito con cada libro que publicaba. Esta escritora quedará para la vida eterna donde tal vez su marido no pueda encontrarla. Semi-inválida y ciega, morirá en 1973 en un asilo de Málaga.

BRISSET, Jean-Pierre

El representante más célebre del catálogo de «locos literarios» publicado por Henri Blavier (1982). Michel Foucault tuvo la suerte de descubrir a este escritor y concederle la pequeña fama que ahora tiene. Porque Brisset es un escritor a pesar suyo, un autor sin intenciones de serlo. Un caso excepcional de locura creadora. Una especie de iluminado de las letras. ¡Cuando se piensa en todos los que hay deseando esa imposible suerte!

BROD, Max

Es una lástima que con un nombre tan perfecto, este escritor checoslovaco sea más conocido por ser el amigo de Kafka que por sus obras. Tuvo, sin embargo, el honor de escribir la primera biografía del maestro. La conclusión que todo escritor debería extraer de esta tarea insigne del *alter ego* de Kafka sería la de exigir a sus amistades el compromiso de que nunca se propusieran contar su historia y que cumplieran además su palabra. La leyenda dice que Brod murió diciendo: «Kafka soy yo».

BROWNING, Robert

Este virtuoso del verso tuvo la osadía de desafiar al público británico pregonando la falta de amor que aquél le manifestaba. Disfrutó a cambio del amor eterno de la poetisa Elizabeth Barrett, a quien se atrevió a secuestrar y llevársela a Italia. Sin embargo, murió tan cubierto de méritos y honores que la posteridad parece castigarlo con la incomprensión y el silencio.

BRONTË, Hermanas

Único caso en la historia en que el hecho de tener hermanos beneficia hasta tal punto la tarea creadora, que permite la existencia de tres autoras en la familia y un autor. Los lectores pierden su tiempo tratando de descubrir qué texto de los elaborados en común es de Charlotte, cuál de Patrick Branwell, Anne o Emily Brontë. Este secreto es parte del mundo infernal de las fantasías de las Brontë.

CALVINO, Italo

La literatura se prepara para el segundo nacimiento de Italo Calvino en este mundo. De entre sus textos realistas y fantásticos prefiero los segundos, y más aún que su obra de ficción me seduce de Calvino su labor como profeta literario, instigador cultural y erudito personalísimo. El hermano mimado de Kafka, ni más ni menos. Murió sin saberlo.

CARLYLE, Thomas

Prototipo del escritor que de verdad busca encontrarse a sí mismo a través de la escritura. Con todo y con eso, quiere convertirse en una «especie de artista» y se desespera al no poder conseguirlo cuando intenta poner a prueba sus dotes de creador escribiendo novelas. Sin embargo, lo que califica de impotencia creadora da como resultado excelentes libros que son una sorprendente mezcla de crítica, ensayo, novela y autobiografía. Carlyle ha descubierto, sin saberlo, la literatura del siglo XX.

CATALÀ, Víctor

El Ampurdán es patria de grandes escritores. En este caso una autora, Caterina Albert, que pasó toda su vida recluida en su casa de L'Escala. Recibió del mar grandes revelaciones. Otro ejemplo notorio de que la monotonía puede ser un elemento de producción creadora. Falleció plácidamente en su cama.

CELA, Camilo José

El mundo parece dividido entre quienes opinan que Cela es el primer escritor contemporáneo de las letras hispánicas y aquellos que creen todo lo contrario. Ni la concesión del Premio Nobel al escritor logra ponerlos de acuerdo.

CERVANTES, Miguel de

La tradición afirma que un hidalgo de la Mancha llamado Quijano se hizo pasar por Cervantes, el escritor, que escribía un libro en el que narraba su vida caballeresca para placer y esparcimiento de todo lector sagaz y aventurero. Desde entonces, existen tantos Migueles de Cervantes por el mundo como ediciones de *El Quijote* se llevan produciendo.

COLET, Louise

Los escritores jóvenes que se enamoran de poetisas maduras con la intención de conseguir, gracias al fruto de esta relación, un estilo impecable pueden llevarse un chasco. A Flaubert (ver más abajo) esta relación con la famosa Colet le fue provechosa en lo que respecta a su correspondencia con la amiga. Pero ¿y las cartas de Colet? Las escritoras maduras deberían hacer copia de sus cartas de amor a los poetas jóvenes.

COLETTE

La autora francesa, también conocida por su larga colección de hombres, ha llegado a aprender que Beckett (ver más arriba) se sirvió de ella para crear a la heroína de su pieza teatral *Días felices*. Fue educadora de sus gatos y dama compasiva. Murió a una edad envidiable para cualquier escritora.

CONRAD, Joseph

Doctísimo en ciencias marítimas y humanas fue el gran reformador del lenguaje literario. Verdadero padre de náufragos y marineros, procuraba de todas las maneras aliviar a los oprimidos de su situación precaria. Este novelista de aventuras murió en 1924.

DANTE ALIGHIERI

Primero de los escritores en descubrir un orden aritmético en la literatura. Un hombre soñó que amaba eternamente y se hizo Dante. Este arquitecto del lenguaje fue huérfano de padre y madre, apartado luego de su gran amor, Beatriz, y apartado, al fin, de su casa, Dante fue el poeta del exilio. Para regresar a su tierra inventa el poema divino que consiste en el más sabio viaje que realizara hombre alguno. Redimió a muchos lectores. Murió en Ravena en 1321. Su tumba es lugar de peregrinación de los escasos poetas que aún sobreviven.

DIAMANT, Dora

Última amante de Franz Kafka. El escritor murió literalmente en brazos de la dulce joven. De ahí que tantísimos otros escritores busquen a la postre de sus vidas una jovencita para morir.

DOSTOIEVSKI, Fiódor Mijáilovich

Nunca escritores tan opuestos como lo fueron Dostoievski y Tolstoi han sido en tantas ocasiones considerados como autores gemelos. Entregó su vida al problema no resuelto de la combinación Dios y hombre, Dios y mal, la libertad y Dios y el hombre con la familia. Lo más asombroso es que vivió y murió como cristiano en San Petersburgo.

DUJARDIN, Édouard

Es digno de notar en este escritor lo que sucede todos los años el día 16 de junio en Dublín. Se guarda su sangre en una botella de cristal y forma una especie de argamasa con la tierra con que está mezclada. El día de la muerte de James Joyce se licua delante de todos.

DURRELL, Lawrence

Compañero de Henry Miller, escribió *El cuarteto de Alejandría* y otras vidas de héroes, mártires y fracasados. Murió pensando que su amiga Anaïs Nin le obsequiaba con un loro.

ECKERMANN, Johann Peter

Celoso secretario de Goethe, natural de Winsen an der Luhe, Hannover. De familia humilde, conquistó la fama gracias a la benevolencia del creador de *Fausto*. Entregó su vida y su obra al maestro, merced al cual consiguió a su vez la vida eterna. Fue ejemplo de modestia y austeridad. Cosa rara en un escritor. «Oh feliz penitencia que me has merecido tanta gloria».

ECO, Umberto

Monje solitario de Alejandría (ciudad italiana), que pasó unos setenta años de su vida predicando en el desierto tecnológico. Después de convertir a innumerables gentes redactó una tesis para demostrar la inutilidad de los medios de comunicación de masas. Fue la primera víctima insolente de esos artilugios mecánicos.

EINSTEIN, Albert

Dividió la ciencia en dos etapas: antes y después de Einstein. Fue, además, un viejo loco encantador.

EINSTEIN, Mileva

Transcurrió la vida de la ex esposa de Einstein aguardando su parte merecida del premio por haber colaborado en el descubrimiento de la teoría de la relatividad. El gran amor que sentía por su marido la mantuvo en silencio antes y después del divorcio del genio. Un ejemplo para todas nosotras.

ELIOT, Thomas Stearns

Prueba sublime de que un poeta no tiene por qué ser necesariamente maldito y puede trabajar como empleado de banco. Así Gombrowicz y así también otros muchos funcionarios y burócratas.

ELLMANN, Richard

Penetrado de las verdades más íntimas, sobrenaturales y divinas de ciertos escritores, en su mayor parte dublineses, se dedicó a contar sus vidas en biografías monumentales. El sentimiento patriótico del irlandés es notable.

ENZENSBERGER, Hans Magnus

Ya desde joven sintió la atracción por la utopía. Ha vivido en todos los centros neurálgicos de este tiempo: Berlín, La Habana, Estados Unidos, España... Ante la caída del muro de Berlín, se ha quedado silencioso, después de decir: «Esto era lo que yo soy ahora».

FAULKNER, William

Este insigne escritor ejerció decisiva influencia en muchos escritores latinoamericanos de la segunda mitad de este siglo. Realizó una inmensa crónica de los comportamientos humanos. «Mi ambición −escribió en 1949− es la de ser abolido, de desaparecer de la historia en cuanto individuo, de dejarla intacta sin otros residuos fuera de mis libros impresos». No lo han dejado.

FLAUBERT, Gustave

Muy joven casó con la literatura y le fue fiel hasta la muerte. El solitario de Ruán concentraba todos sus esfuerzos en lograr la obra perfecta, impecable. Fue amigo excelente de escritores menos excelentes y autor de la correspondencia más sagrada de la historia de las letras. Lleno de méritos y virtudes, durmióse para la eternidad el año 1889.

FREUD, Sigmund

Qué bien sabía juntar este escritor el estudio de las almas y la literatura. Y así, escuchando y escribiendo, se santificó, ilustrando el subconsciente su admirable vida con innumerables sueños. Lleno de virtudes y de méritos, fue a recibir el premio eterno el año 1938.

FORD, Ford Madox

La vida de este escritor fue la de un buen soldado de las letras. Prolífico escritor (publicó más de setenta y cinco libros) y excelente editor de revistas literarias. Fue gran amigo de James, Conrad, Wells, Galsworthy, Pound, Joyce y Hemingway. Murió tan pobre como olvidado en Deauville en 1939.

GIDE, André

Inquieto, insatisfecho y vagabundo, es más nombrado en círculos literarios por el hecho de haber rechazado el manuscrito de Proust que por su magnífico y excepcional *Diario*, mal publicado en España. El maestro daba a sus discípulos el consejo de tirar sus libros una vez que los hubiesen leído. Abogado de causas difíciles por los obstáculos que tuvo que vencer en la lucha en favor de la homosexualidad. Su esposa Madeleine vengóse de él y de nosotros al quemar sus cartas más íntimas.

GILBERT, Stuart

Se dedicó a escribir «en vivo» la primera biografía de James Joyce. Se entregó de tal manera a la vida del autor que le vendió su alma hasta que la recuperó cuando le dijo: «Es usted un hombre afortunado. Tiene dinero y familia». Joyce buscó rápidamente otro biógrafo.

GOETHE, Johann Wolfgang von

La ciudad de Weimar (Alemania) se honra con haber sido la cuna de este genio de las letras de cuya longevidad podemos aprender mucho por su sentido de la estética y su pasión por la ciencia. Murió a los noventa y dos años, teniendo aún en derredor a varias jóvenes escritoras subyugadas por su aura.

GOMBROWICZ, Witold

Obedece a los requisitos óptimos del escritor de esta centuria: es exiliado, homosexual y casi pobre. Buenos Aires lo adoptó, pese a la indiferencia del patriarca Borges, que en una cena de amigos manifestó su desinterés hacia el polaco. No es bueno sentar a la misma mesa a dos genios del lenguaje y a dos tímidos de la palabra.

GRILLPARZER, Franz

Dramaturgo austríaco que hace honor a la resignación melancólica de los autores de su país. Dado su convencimiento absoluto de que el poeta no pertenece al mundo de los hombres, la vida de Grillparzer es relativamente interesante. Vivió y murió en Viena.

GUGGENHEIM, Peggy

«Heroína transatlántica de Henry James», la definió con mucho tino el escritor Gore Vidal. Es famosa por su colección de obras de arte y de esposos. A este respecto, perdió las cuentas, aunque siempre recordó bien su colección de perros. Aprendió a conseguir la celebridad histórica gracias a las relaciones borrascosas que mantuvo con escritores y artistas famosos.

HANDKE, Peter

Hijo del 68 y de otros tantos escritores que como él disfrutaron del gusto por la provocación. Caminante sin camino, es Patrono de los Soldados sin Patria y otros vagabundos.

HESSE, Hermann

Escritor alemán que se destacó por sublimar en sus novelas sus múltiples y variopintas crisis personales. *Siddharta* fue su director espiritual y también su obra más leída.

HOMERO

Homero no existe. En su lugar, la *Ilíada* y la *Odisea* son prueba fehaciente de que una obra literaria necesita dueño, pese a las actuales teorías al respecto.

HUGO, Víctor

Triunfal carrera la de Víctor Hugo, el narrador, el poeta, el dramaturgo, el dibujante. Llamado también el romántico auténtico, pese a sus devaneos políticos y otras gestas. Murió en el exilio hacia 1885.

JESENSKA, Milena

Tercera amante de Franz Kafka. También escritora. No se salvó del campo de exterminio nazi.

JOLAS, Eugène

Amigo de Joyce que, junto a su mujer María, se ocupaba de dirigir la revista literaria *Transition*. De espíritu sencillo, cuidó del matrimonio Joyce, siempre desvalido y necesitado, y de su hija Lucía.

JOYCE, James

Fue el gran apóstol de la literatura anglosajona y el evangelizador de otras que van de Europa a Hispanoamérica. Murió casi ciego como su maestro Homero. Su cuerpo yace enterrado en Zurich.

JOYCE, Lucía

Modelo de niña en su infancia y adolescencia. Dejó de serlo en los borrascosos días de la juventud, cuando pretendió sin éxito casarse con Mr. Beckett. Bailaba por amor al padre. E incluso en el hospital psiquiátrico supo practicar las virtudes filiales. Murió en el manicomio, en donde estaba internada, cuando se le ocurrió prender fuego al edificio.

JOYCE, Stanislaus

Hermano menor de Joyce, su ayudante, tutor y banquero provisional. Acompañó a los Joyce en su peregrinación europea. Murió sin haber podido realizar su sueño de escritor.

JOYCE, Michael

Escritor desconocido cuyo nombre inducía a confusión a los lectores de Joyce e incluso a Joyce mismo.

JUNG, Carl Gustav

Fue amigo de Freud y su rival eterno. Dedicó su vida a la predicación de la servidumbre, dada la ambición de sus alumnos por convertirse en maestros.

KAFKA, Franz

Escritor de escritores. Ya desde joven sintió la atracción de las palabras divinas. Ante el autoritarismo de un padre castrador y arbitrario, se entregó sin reservas a la literatura. Murió joven. Solía confesar su deseo de escribir palabras que hiriesen como puños. Buena lección para todos nosotros.

KAFKA, Irene

Traductora de Joyce. Sufrió el martirio de llevar el mismo desafortunado apellido del maestro. Pese a la insistencia, no se le conocen lazos familiares con el escritor.

KLEIST, Heinrich von

Es el poeta por excelencia; el poeta de los espíritus atormentados, el poeta de los amantes frustrados, el poeta de todos. Fue perseguido por Goethe, que detestaba el arte intempestivo de Kleist. El trágico genio del romanticismo murió suicidándose por desesperación amorosa, no sin antes matar al objeto de sus desvelos: Henriette Vogel.

LARBAUD, Valéry

Nacido en la ciudad cosmopolita de Vichy, batalló denodadamente en defensa de la literatura. Es el padre de los escritores jóvenes y el descubridor de genios. Nunca le han concedido la oportunidad de dejar el lugar secundario en el anfiteatro de las letras en el cual se lo tiene recluido.

LISPECTOR, Clarice

Esta escritora brasileña escribe como quien sueña. Cuando escribe, muere Lispector, con lo cual se llega a dudar de si su muerte real no ha sido otra de sus fantasías creadoras. Gracias a Lispector, el lenguaje nace de nuevo. El cáncer, que es la soledad de los grandes escritores, se llevó su vida.

LOWRY, Malcolm

El popular escritor fue un gran devoto de la ciudad de Cuernavaca (México). Sufrió grandes *delirium tremens*. Logró suicidarse con ayuda de somníferos.

LOWRY, Margie

Segunda esposa de Malcolm Lowry, quien, enamorado para siempre de la primera, la usó como paño de lágrimas de sus borracheras y otras esterilidades literarias.

MAISTRE, Xavier de

El viajero más sobrio de la literatura, dado su libro *Viaje alrededor de mi habitación*. Tuvo la mala fortuna de llevar el apellido de otro colega suyo, Joseph de Maistre, cuya relevancia lo dejó en la sombra. Moraleja: si quieres escribir, escapa de cualquier homónimo visible o invisible.

MALLARMÉ, Stéphane

Tuvo este escritor el don de suscitar tanto la pasión fervorosa como la cólera tremenda. Sucede así con textos ininteligibles. No permite imitaciones. Es un clásico. Un proveedor de conceptos. Los franceses lo adoran.

MANN, Klaus

El más perjudicado de todos los miembros de esta familia de escritores. No pudiendo sufrir más el martirio de ser hijo de su padre, decidió suicidarse y lo consiguió, provocando el pesar de su querida hermana Erika.

MANN, Thomas

Muchos y grandes milagros se cuentan de este escritor del siglo XX. Uno de ellos es que mientras estaba vivo y escribía se le apareció Mefistófeles en persona para proponerle un pacto. Thomas Mann supo vencer al diablo y utilizar la historia en una de sus mejores obras. Ocurrió su muerte en el año 1955.

MANSFIELD, Katherine

Sufrió la soledad de la escritora. Vivió y murió como una santa. Solía repetir: «Para ser digna de convertirse en escritora hace falta purificarse».

MILLER, Henry

Fue el gran amigo y salvador de las prostitutas. Fundó el Instituto de Anaïs Nin Auxiliadora. Estuvo animado de ardiente celo por la gloria de sus *Trópicos* y la perdición de su alma. Es el celestial patrono de los escritores zurdos.

MONNIER, Adrienne

Fue la amiga predilecta de Sylvia Beach. Los escritores franceses del primer cuarto de siglo organizaban tertulias literarias en su librería. El aspecto monjil de Adrienne hizo que pasase tan inadvertida que pocos son los que recuerdan el año de su muerte.

MONTAIGNE, Michel Eyquem de

Fue este escritor una de las lumbreras de la literatura europea de fines del siglo XVI. Con sus ensayos y sus palabras acompañó durante siglos a los mejores escritores. Toda su obra es una defensa de la poesía de la vida en su armoniosa plenitud.

MONTERROSO, Augusto

Desde chiquito manifestó un santo temor a la ampulosidad postiza y al academicismo solemne. Fundó la ley del movimiento perpetuo y fue todavía más lejos que su maestro Franz Kafka en la teoría de la brevedad. Fabulador de imposibles, se le conoce también por ser el primer autor en escribir un relato con forma de título. ¡Son tantos los discípulos que tratan de imitarlo sin éxito!

MORAND, Paul

Conoció este escritor el éxito de contemplar grandes tiradas de sus obras. Su aspecto de hombre sin sentimientos le resultó beneficioso en el momento de obtener su asiento en la Académie française. De acuerdo con sus deseos murió rápidamente, con discreción y elegancia.

MOREL, Auguste

No confundir con su homónimo, el protagonista de la novela del argentino Bioy Casares, *La invención de Morel*.

MUSIL, Robert von

Es autor de la obra inacabada más ambiciosa y notable del siglo XX. La intención del escritor austríaco era la

de modificarla constantemente hasta terminar destrui-
do por la misma, cosa que ocurrió en Ginebra, estando
en exilio, en el año 1942.

MUSSET, Alfred de

De este escritor francés han querido reproducir los escritores románticos su vida de poeta maldito. Musset
consideraba el amor como una pasión, como la ardiente búsqueda del absoluto y la pureza. Como escritor
murió cuando murieron sus pasiones.

NABOKOV, Vladímir

Vladímir Vladimirovich Nabokov nació en San Petersburgo el 23 de abril de 1899. Víctima de la revolución
rusa, vivió en Europa en donde se consagró a los estu-
dios y a la literatura. Fundó la congregación de los bur-
ladores radicales, de la que persistió en seguir siendo
el único miembro. Actividad aristocrática que el exiliado ruso mantuvo hasta su muerte. Con Nabokov se re-
nueva en la literatura otro ejemplo magistral de que el
bilingüismo no es sólo posible sino deseable en la mayoría de los casos.

PESSOA, Fernando

En la ciudad blanca Fernando Pessoa sale del estanco,
enciende su pipa, camina unos pasos, descansa en un
banco, camina otro poco más, entra en el estanco, se
toma una cerveza solo, pasa un tranvía, enciende su
pipa... La vida del poeta magnífico está basada en estos monótonos y rutinarios datos biográficos. Ah..., y
tuvo una hermana.

PETRARCA, Francesco

A este escritor se le apareció Laura en la iglesia de Santa Clara de Aviñón el 6 de abril de 1327 para inspirarle la redención de los poetas. Fue un gran erudito y un gran sabio. Sus poemas producen saludables efectos a cuantos desean santificarse. Tuvo una muerte de escritor. Lo encontraron sentado en su despacho con la cabeza doblada entre las páginas de un libro de Virgilio.

PLATÓN

Platón gobierna la filosofía desde su nacimiento. Fundó en Atenas una escuela llamada la Academia, cuya repercusión no necesita explicaciones. Era de mente curiosa, pero andaba extraviado. Sócrates se hizo el encontradizo y el discípulo se convirtió en amigo. ¡Cuán cierto que quien busca de veras a Platón acaba por hallarlo!

POE, Edgar Allan

Uno de los más acérrimos defensores de la vida después de la muerte. Fascinado por la lírica, en su honor compuso hermosas prosas rimadas. Sus cuentos fantásticos han sido muy imitados.

POUND, Ezra

En el cementerio de la isla de San Michele, en Venecia, una tumba destaca entre todas las demás en el cementerio de los extranjeros, y sobresale precisamente porque en lugar de lápida, un pequeño y circular parterre protege los huesos de Pound del cielo. Allí descansa el poeta. El americano loco. Busquen su tumba. Guardarán un recuerdo inolvidable.

PROUST, Marcel

Este delicado escritor, fascinado por las variedades del mundo, más conocedor también de las falsedades del mismo, se dedicó por entero a reproducirlo en centenares de páginas, distinguiéndose por la devoción hacia su persona, hacia su madre y hacia su criada Françoise. Murió de asma en su cama en donde decidió pasar los últimos años de su vida, que no fue larga.

RENARD, Jules

Aunque parezca mentira, el *Diario* de este escritor fue el libro de cabecera de Samuel Beckett.

RIMBAUD, Arthur

Es el *enfant terrible* de la literatura. De este gran (aunque poco fecundo) poeta han surgido otros imitadores de su vida eremítica y solitaria en los desiertos. Sea en el desierto de un bar o el más poblado de una montaña. El poeta Verlaine abandonó esposa e hijos por seguirlo. Murió solo y todavía joven.

ROBERT, Marthe

Fue la confidente de Franz Kafka. Gracias a ella penetró en el mundo la devoción al incuestionable Maestro. La pasión de la traductora por su escritor obedece a la gran frase de Marina Tsvetáieva: «Nosotros, los escritores, somos todos judíos».

ROUSSEL, Raymond

Un autor mil veces resucitado. Creó la orden de lectores rousselianos, de la cual formó parte. Fue el padre de la imaginación moderna. Su muerte acaeció en 1933.

Su imaginación le mandó matarse. Famosas son aquéllas sus palabras: «Chez moi l'imagination est tout».

SADE, Donatien Alphonse François de
El marqués de Sade, natural de París, fue un maestro
de artificios literarios. Se dedicó a la política y la escritura. Pasó más de la mitad de su vida encarcelado.
El tiempo libre lo empleaba en su perversión favorita:
la práctica del sadismo o deseo de causar sufrimiento
al objeto sexual. Voló al cielo en el año 1814. Resplan-
deció en él de una manera admirable el faro que ilu-
minará a los escritores del siglo XX.

SAFO
La poetisa de Lesbos nació 500 años antes de Cristo. La
leyenda que la acompaña hace de ella la iniciadora de
una secta de nombre estrafalario. Por defender su vida y
sus ideas, sufrió el destierro en Lesbos. De ahí el apodo.

SAND, George
La niña Aurore Dupin fomentó desde su más tierna infancia la rebeldía contra las costumbres de la época.
Cumplió mal sus deberes de esposa para dedicarse más
plenamente a los de escritora. De ella podemos aprender la dedicación a los escritores a los cuales cuidaba
amorosamente como cariñosa y abnegada madre.

SARTRE, Jean Paul
Novelista con vocación de filósofo que vivió con Simone de Beauvoir, su compañera de las letras, una larga vida al servicio de la causa intelectual y humana. Se
distinguió por sus novelas y sus actitudes radicales. Al

haberle sido otorgado en 1964 el Premio Nobel, renunció al mismo. Una única debilidad se le conoce públicamente, la de tener celos del bueno de Flaubert.

SAYRE, Zelda

Cometió el primer error al casarse con el escritor F. Scott Fitzgerald y el segundo al escribir, ayudada por éste, su autobiografía. Todo lo cual la condujo al mismo fin que su hermana en las letras Lucía Joyce. Zelda murió también, víctima de las llamas, en el psiquiátrico en donde permanecía internada.

SHAKESPEARE, William

Nació en Stratford del río Avon en 1564 y murió el 23 de abril de 1616. La conmemoración de la muerte del poeta y dramaturgo es fiesta nacional para los británicos. Por otra parte, la fecha señalada de los catalanes coincide con la desaparición del poeta y la fiesta del libro y la rosa. Durante más de cuatro siglos ha sido venerado en todo el mundo. Ningún otro autor ha suscitado en esta tierra tantas citas y comentarios.

SHAW, George Bernard

Dramaturgo irlandés conocido también por su sentido del humor y sus extravagancias. Se distinguió también por su sarcasmo y su inteligencia. Por razones desconocidas es hoy un autor olvidado por tanto factótum literario.

SONTAG, Susan

Un día se le apareció Franz Kafka a la escritora judeoneoyorquina Susan Sontag. La veracidad de esta aparición continúa atestiguándose con jóvenes escritoras. Kafka la exhortó en su tarea. Desde entonces, no deja de deleitarnos con sus atinados ensayos e inteligentes testimonios.

SVEVO, Italo

Novelista judeoitaliano cuyo cosmopolitismo y universalidad de visión llevan a compararlo a Proust. Fue uno de los más acérrimos defensores de James Joyce. Hay quienes, sin haber perdido unos minutos en leer su excelente novela *La conciencia de Zeno*, discuten las razones obvias de por qué Ettore Schmitz, nacido en Trieste, cambió su nombre por el pseudónimo de Italo Svevo. Algunos gramáticos pedantes condenan la sintaxis defectuosa de este alemán que eligió escribir en italiano. Dichos pedantes ignoran que éste es el preciado «mal» que disfruta la gran literatura de este siglo.

TERESA DE JESÚS

Es la vida de la santa una entrega absoluta a Dios. Por amor a Dios, Teresa amó la literatura. Decía a sus hermanas: «O escribir, o morir». Insigne por sus virtudes, don de profecía y maravillosos éxitos, subió al cielo el 15 de octubre de 1582.

TOLSTOI, León Nicoláievich

El pequeño conde Tolstoi quedó huérfano de madre a los dos años de edad. Esta temprana insatisfacción talló la madera del escritor e hizo de él un defensor heroico de la libertad de los hombres. Sus escritos están llenos de sabias reflexiones sobre el espíritu humano y la igualdad, sobre todo cuando crea personajes superiores como el de Ana Karenina en relación con su mediocre marido. Murió en un garaje de Astápovo aquejado de neumonía.

VENEZIANI, Livia
Esposa de Italo Svevo. Musa de Joyce.

VERLAINE, Paul Marie
Después de una juventud algo extraviada en que casi mata de un disparo a su amante Arthur Rimbaud, se entregó al cultivo de la individualidad y de su propio espíritu. El paisaje interior del poeta es melancólico y parecido a un paisaje lunar. Entregó su alma a Dios y a Rimbaud en 1896.

VIGNY, Alfred de
No conoció este poeta la gloria de sus éxitos literarios. El poeta del espíritu puro y solitario perteneció al movimiento romántico. Con todo, siempre tuvo lectores fieles, de Baudelaire a Breton.

VIRGILIO
Fue el misionero de los poetas, el príncipe de la reconciliación entre los dioses y los hombres. Llevó la poesía a centenares de miles de infieles y a sabios y emperadores. Obró incontables milagros y tuvo el don de la profecía. Murió en Brindisium tras una agonía de diez días, atormentado por la dolorosa incertidumbre del futuro de su obra. Véase Hermann Broch y su novela *La muerte de Virgilio*.

WALSER, Robert

En su juventud se desdijo de la vida sedentaria y llevó una vida errante por ciudades diversas. Extranjero tanto en la novela como en la vida misma, abandonará varias de ellas y se dedicará a la redacción de textos cortos. El primer economista del lenguaje.

WHITMAN, Walt

El más grande poeta lírico americano soñó con fundar una nueva religión cuya Biblia era su único libro publicado y que tituló *Hojas de hierba*. Llamado también el poeta del Cosmos por su dedicación a alabar la belleza de la tecnología moderna y de sus máquinas.

WOHRYZEK, Julie

Segunda, aunque esporádica, amante de Kafka.

WOLFSON, Louis

Existen escritores más esquizofrénicos que otros. De entre estos últimos destaca Louis Wolfson. El sello judío de todo autor verdadero de este siglo se manifiesta sobre manera en este escritor que encuentra su Sión en una lengua que no era la del país en donde vivía, Estados Unidos, y sí la interesante mezcla de todas las lenguas y ninguna. La adoración por su madre era tal, que para no escucharla hablar, inventó una máquina traductora del lenguaje. Vivió sus correspondientes encierros.

WOOLF, Leonard

Fue esposo y propulsor de la locura de la escritora Virginia Woolf. Es abogado de la esterilidad artística en las autoras literarias.

WOOLF, Virginia

Es digno de notar en esta escritora británica su singular parentesco: hija y esposa de escritor que, a falta de hijos escritores, optó por crear la Hogarth Press. Sufrió diversas crisis nerviosas que algunos han querido calificar de demencia. Elevada a un grado muy alto de saber y de melancolía, fue favorecida con gracias estilísticas extraordinarias. Se mató ahogándose en el río Ouse en el año europeo de 1941.

WOLFF, Kurt

Primer editor de Franz Kafka. Es conocida su devoción literaria y de bibliófilo. El libro de relatos titulado *Meditaciones*, publicado en Rowohlt, jamás habría existido sin el apoyo y las buenas relaciones de Kafka con sus editores. Los editores deberían publicar sus memorias y desvelarnos sus secretos con los autores.

YEATS, William Butler

Poeta visionario dublinés que creyó siempre en una vida después de la muerte. Sometido a diversas influencias, nunca renegó de su fe en la poesía y el misterio.

Índice

Este libro se imprimió
en septiembre de 2004,
en los talleres de Hurope SL,
Barcelona.